Les carnets d'une alpagiste

4e édition - 11e mille

Les Carnets de Vie

Témoignages, récits, histoires vécues. Des documents souvent à l'éta brut, vieux manuscrits tirés du fin fond des armoires : journaux intimes mémoires, carnets de route ou de campagne.

Écrits parallèles, lignes de vie tracées dans la marge, à l'encr rouge... La vie tout simplement, consignée dans des registres par des gen simples qui ne sont pas des « écrivains » et ne dous donnent que ces trace émouvantes de leur existence passée, de leur jeunesse, banale et tragiqu tout à la fois... C'est peu et c'est beaucoup.

Les Mémoires d'un enfant de la Savoie - *Carnets d'un petit colporteu* (Claude Genoux)
Carnets d'un curé de montagne (Claude Chatelain)
Carnets d'un collégien d'autrefois - *La suite du* Petiou (Jean-Gaspar Perrier)
Carnets d'une jeune fille pendant la guerre - *Le soleil en cendres* (Mari Ponce)
Carnets d'un instituteur d'autrefois - *Trois plumes au chapeau* (Clémen Brun)
Carnets d'un médecin de montagne (Hermann Berger)
Carnets d'une alpagiste, t. I - *En mon pays de haute enfance* (Michell Chatelain)
Carnets d'une alpagiste, t. II - *Alpages, terres de l'été* (Michelle Chatelain
Carnets d'un gardien de refuge - *Un gardien de refuge raconte* (Raymon Martinatto)
Carnets d'un militaire de montagne - *Six mois dans les neiges* (A. Vincent
Carnets d'un écolier d'autrefois - *Les Bornandises* (Albin Bastard-Rosset
Carnets d'un sculpteur d'églises baroques - *Riche Journal d'un artist pauvre* - traduits et présentés par Annick Bogey-Rey (Giuseppe Andre Gilardi)
Carnets d'une accoucheuse en Beaufortain - présentés et mis en forme pa Odile Walter (Olga Canova)
Carnets de guerre d'un « poilu » savoyard - présentés par Xavier Charve (Fernand Lugand)
Carnets d'un ramoneur savoyard - *Histoire passionnante de la vie du peti ramoneur savoyard* (Joseph Laurent Fénix)
Les Carnets de Cachat le Géant - *Mémoires de Jean-Michel Cachat, guid de M. de Saussure et paysan de la vallée de Chamonix* - traduits et présentés par Daniel Chaubet

MICHELLE CHATELAIN

Les carnets d'une alpagiste

TOME SECOND

Alpages, terres de l'été

4e édition - 11e mille

Carnets de Vie

La Fontaine de Siloé

DU MÊME AUTEUR
Chez le même éditeur

Les carnets d'une alpagiste , tome premier
En mon pays de haute enfance

ISBN : 2.84206.118.7

Couvent des Dominicains, Vieille rue,
73801 Montmélian cedex.
☎ 04 79 84 27 24 - 🖷 04 79 84 21 86

PRÉFACE

Michelle Chatelain, [...] est passée de l'enfance à l'adolescence dans les années 1950 et retrouve les souvenirs lumineux de toute la maisonnée d'alors (ils étaient treize !) au cours des étés passés à l'alpage sous le Prarion de Saint-Gervais. La trame est la vie quotidienne avec le troupeau, simple, écologique avant qu'on n'ait inventé ce mot. Le cadre c'est la famille nombreuse, chaleureuse, où les valeurs héritées des ancêtres sont vécues sans discours, imprégnées d'une foi elle aussi toute simple ; on goûtera particulièrement à ce point de vue les souvenirs de la promenade dominicale jusqu'à la chapelle du Prarion, le carnet de catéchisme sous le bras (il sera visé par le prêtre !), avec le livre de messe, et plus encore la visite rituelle du curé au chalet, racontée sur un mode d'abord familier, voire gentiment ironique, lors de l'arrivée du gros homme transpirant et essoufflé, puis respectueux et fervent lorsque, revêtant les insignes de sa mission, le prêtre bénit la demeure et ses habitants...

Sous cet éclairage familial, on retrouve le contrepoint des analyses de la société rurale d'hier que conduit l'abbé Chatelain : le grand mérite de ces deux petits livres est de nous offrir ensemble une lecture au second degré de l'ambiance de la Haute-Savoie au tournant du siècle.

La modernité est déjà largement engagée, avant qu'elle ne submerge la région après 1960 ; ainsi les estivants sont des voisins familiers de l'alpage. Mais la structure rurale des siècles précédents est encore bien vivante en 1950, fondée sur un ensemble de valeurs ancestrales, et tout particulièrement la foi dans les rites quotidiens d'une Église qui participe de cet enracinement. En toile de fond derrière le récit des travaux et des jours, ce sont ainsi les dernières expressions intactes d'une certaine manière d'être, d'une civilisation vécue au quotidien, que le lecteur découvrira ici.

Pierre PRÉAU

AU LECTEUR

Voici le journal des saisons d'alpage que j'ai passées dans notre chalet des Combettes entre l'été de mes sept ans et celui de mes quatorze ans. Il raconte les activités de toute la famille, et la manière dont je les ai vécues.

Deux voix s'y répondent, deux écritures, celle de l'enfant puis de l'adolescente que j'ai été, celle de la femme qui, trente ans après, porte en elle ce temps disparu et cependant aussi vivant qu'au premier jour.

Toutes les saisons d'alpage se ressemblaient comme des sœurs, mais, au fil des années, les tâches qui m'étaient imparties changeaient, mon regard, mes curiosités, ma sensibilité évoluaient. Chaque été apportait des apprentissages, des expériences, des émotions particulières...

J'ai connu la beauté des aurores, le silence profond des nuits, la peur des jours d'orage, la solitude des heures passées *en champ* aux moutons... Mais par-dessus tout cela, j'ai connu surtout la vie de famille, cette famille nombreuse où il faisait bon grandir. Il y avait parfois des disputes, pensez : onze enfants ! – c'est inévitable ! Mais elles ne duraient pas.

Aujourd'hui, lorsque me reviennent ces souvenirs, je me dis que ce temps-là était beau, que nous étions heureux.

Avec ce témoignage sans prétention, je voudrais seulement faire partager cette vie simple, saine, au grand air, une vie laborieuse mais tout emplie de joie.

1951

LES PRÉPARATIFS DE L'EMMONTAGNÉE

Ohé ! voyez la montagne
Par ici l'ennui me gagne
Je veux revoir mon chalet
Ohé ! et mes grands sommets
Sur l'alpe lointaine
La neige s'en va
L'alpée est prochaine
Le printemps est là !

C'est le grand branle-bas de combat à la maison. La maison ? C'est « Beaulieu », et cet endroit porte si bien son nom : pour nous, c'est le plus beau lieu de la terre, c'est notre paradis.

Mais que se passe-t-il, aujourd'hui, à Beaulieu ? C'est le printemps, le mois de mai tire à sa fin, l'alpage nous attend.

Ça court dans tous les coins de la maison – des enfants de toutes les tailles. On rencontre de-ci de-là des baluchons rebondis, des caisses, une grosse malle. Il s'agit d'installer tout ce bric-à-brac dans le tombereau, car dans quatre jours se fera la montée à l'alpage, et il faut que cette avalanche de matériel soit là-haut avant nous.

Maman s'affaire à vérifier qu'il ne manque rien. Nous avons donc dit : le sucre, la farine, l'huile, les pâtes, le chocolat, les boîtes de sardines, de *corned-beef*... C'est qu'il faut prévoir dès le départ la majorité de ce dont nous aurons besoin pour toute la saison d'été. Ah ! maintenant, voyons les vêtements : les bonnets, les jupons, les robes, les pantalons, les tabliers, les culottes, les chemises, les pulls, les gilets, les manteaux (car le soir, à l'alpage, il fait frais). Il en faut, du linge, pour habiller tout ce petit et grand monde ! Bien plié, bien rangé, il sera empilé très soigneusement dans un grand coffre, qui, une fois à l'alpage, servira d'armoire : il sera mis dressé, la porte ouvrant sur le devant, et ainsi tout restera bien au propre. Maman est fort occupée : ce n'est pas le moment de se mettre dans ses jambes, mais cela ne l'empêche pas de nous donner un sourire en passant.

Papa ? Il est très occupé lui aussi. Il entasse dans un coin de la remise carrons et campanes, sonnettes à moutons, *boïlle* à lait, baratte, chaudrons, cordes à vaches et tout ce matériel indispensable à la vie de l'alpage. Il vérifie aussi le tombereau – les freins marchent-ils bien ? Les harnais de la jument sont préparés. Tout est en état, rien ne cloche, tout est prêt.

Et nous, les enfants, que faisons-nous pendant ce temps ? Rien ? Oh non ! Détrompez-vous ! Les aînés sont aussi affairés que les parents : il faut faire briller sonnettes et courroies, transporter tout ce barda, mettre en ordre ce qui restera en bas.

Moi, du haut de mes sept ans, j'ai aussi mon travail qui m'attend. Mon travail, direz-vous ? Oui ! J'ai à préparer mes affaires, c'est-à-dire les trésors qui m'accompagneront au long de ces trois mois d'été, et il ne s'agit pas d'en oublier, car une fois là-haut, pas question de redescendre. Mes trésors, que sont-ils ? Un pipeau, une pelote de laine, des aiguilles, une balle, quelques bouts de chiffon, un carnet, des crayons de couleur, des élastiques, un couteau, un livre... Ce petit bazar hétéroclite me permettra de ne pas m'ennuyer pendant les heures interminables que je passerai *en champ*. J'entasse mes trésors dans un carton. Il n'est pas bien gros, mais l'imagination faisant le reste, ce sera suffisant. D'ailleurs, le tombereau est petit, et il y a tant de choses à mettre dedans ! Sans compter que ceux de mes frères et sœurs qui vont rester là-haut font comme moi.

– Dis, Papa, mon carton, il est pas trop gros ?

– Si les autres en ont autant, il n'y aura jamais assez de place ! Mais c'est d'accord, ça va !

– Merci, Papa !

Il faut bien quatre jours pour monter notre bataclan à notre chalet des Combettes, à raison d'un voyage par jour, car Poupée, la jument, ne peut en faire davantage. Papa et Maman avec un ou deux enfants accompagnent ces voyages et, une fois arrivés, tandis que Papa décharge et prépare l'écurie, Maman balaye et range la maison pour que tout soit prêt le jour de la grande montée. Ils redescendent dans la soirée, après une journée harassante.

Durant ces quatre jours, c'est nous, les enfants, qui sommes responsables des vaches, moutons, poules, lapins à Beaulieu. Mais en général les plus grands commandent aux plus petits, et tout se passe bien.

*
**

Nous sommes au terme du quatrième jour ; demain, nous serons à l'alpage. Bêtes et gens sont excités, ne tiennent pas en place. Les vaches ont senti l'approche du départ et nous avons toutes les peines du monde à les retenir, elles prendraient bien la route dès ce soir ! Eh bien non, mes belles ! Vous ferez comme nous : vous attendrez à demain !

Inutile de dire que cette nuit-là nous dormons très peu : demain, c'est le départ.

LA MONTÉE

Di li ling !... Di li ling !... Mon Dieu, que c'est beau ! Il est cinq heures du matin et nous traversons Saint-Gervais avec nos vaches et nos moutons. Maman est déjà partie en avant avec Poupée et son chargement de poules et lapins, parmi tant d'autres choses. Elles seront avant nous aux Combettes, ainsi lorsque nous, nous arriverons, nous trouverons les portes ouvertes, le feu allumé, le café chaud prêt à être bu, l'écurie aérée au soleil : la vie, quoi !

Papa, Huguette, Jeannine, Bernard, Chantal et moi accompagnons les vaches. Papa, en tête de son troupeau, avance fièrement dans les rues de Saint-Gervais. Des fenêtres s'ouvrent à notre passage.

– Bonjour ! Bonne montée !

– Oh ! Regarde celle-là, comme elle est belle !

– Et celle-ci, comme elle est grosse !

Ça tintinnabule à l'envi. Papa se retourne de temps en temps, lance un bonjour par-ci, un bonjour par-là, répond à ceux qui l'encouragent, mais, surtout, veille sur son troupeau.

Oseille, notre plus belle vache, sa préférée, le suit pas à pas. De temps à autre, elle touche de son museau le bras de Papa, comme pour lui dire : « Je suis là ! » Elle fait sonner à qui mieux mieux son carron, tout brillant d'avoir été astiqué. Elle a au cou la plus belle cloche de la maison ; c'est un bagne, carron à forme arrondie vers le bas et qui donne un son puissant et sourd – la note la plus basse de cette symphonie. Elle est suspendue à une magnifique courroie toute brodée d'écussons d'or et d'argent. Oseille est très fière de la porter, elle sait qu'elle est la plus belle ; pour rien au monde elle ne céderait sa place privilégiée de tête du troupeau.

Il est vrai que nous l'avons depuis sa naissance, Papa l'a élevée avec amour, et elle lui rend bien son affection.

Derrière elle, les vaches carillonnent tout ce qu'elles peuvent, c'est leur au revoir à la vallée ; elles savent où elles vont : les sommets les attendent, l'air pur des montagnes, la bonne herbe parfumée. Tilou, notre chienne, va et vient de la tête à la queue du troupeau. Elle est heureuse, mais n'en oublie pas pour autant son travail de chien berger. Elle ne relâche pas une minute sa vigilance, elle court ; qu'aucune ne s'écarte, car elle aurait affaire à ses crocs.

Et moi ? Je ferme la marche ! Un petit coup de bâton par-ci, un « Gitane ! » par-là pour rappeler à l'ordre celle qui ne voudrait pas filer droit. Je suis heureuse. Étourdie par cette musique et cette marche matinale, j'ai envie de chanter. Je réponds aux bonjours par des sourires. Je ne cours pas dans tous les sens comme Tilou, car je sais que la montée sera longue et dure ! Il nous faudra plus de trois heures pour atteindre les Combettes, avec notre bétail. Mais nous ne sommes pas pressés. Nous avons le temps. Il y a juste les vaches, ces impatientes, qui voudraient courir dès le départ, mais Papa veille et marche d'un pas régulier : il faut mesurer l'effort pour que toutes arrivent en haut. D'ailleurs, lorsque nous attaquons la montée, elles ralentissent d'elles-mêmes.

En queue viennent les moutons. C'est Marcel qui les dirige, avec l'aide de Louis, Édith et Solange. Eux aussi tintinnabulent de toutes leurs sonnettes et sont impatients, mais ils freinent l'allure et cessent les escapades au fur et à mesure que nous montons. Ils savent qu'ils auront tout le temps de batifoler une fois qu'ils seront là-haut, alors, en attendant, ils suivent docilement.

... Et nous nous élevons de plus en plus au fil de la route sinueuse. Notre cœur déborde de joie, un sourire radieux reste accroché à nos lèvres. Nous ne parlons pas, mais nos rêves se bousculent à la cadence de nos pas.

Plus qu'un virage... et notre chalet nous apparaît enfin. Ah ! quelle belle maison ! Vieille de plus de deux cents années, bravant depuis tout ce temps neiges et tempêtes, soleils et orages, elle est solidement construite, et, ce matin, elle baigne dans une auréole de soleil.

Je ne sens plus ma fatigue – je cours, je fonce ! Quelle bonne odeur ! Elle nous accueille avant même que nous soyons à l'intérieur. L'odeur des maisons d'alpage ? difficile de la définir ! Elle rappelle à la fois l'écurie, le fumier, le lait caillé, le feu de bois, le foin : une merveilleuse odeur, quoi !

La porte est grande ouverte. Maman s'affaire à l'intérieur. Nous voilà enfin aux Combettes !

LE CHALET DES COMBETTES

L'alpage, c'est un autre monde. Tout y est différent. Et le chalet ne ressemble pas du tout à la maison de Beaulieu. Voyez donc.

Le petit couloir d'entrée amène dans la cuisine qui, comme c'est l'usage en montagne, n'a pas de plafond : elle va directement au toit. Elle est orientée nord-est, avec une seule grande fenêtre, ouverte du côté est, et le soleil levant dessine un long pinceau de lumière tout rayonnant de poussière dorée. Sa surface au sol n'est pas extraordinaire – juste de quoi recevoir une table, deux chaises, deux bancs, un vaisselier, un emplacement pour faire la tomme et un égouttoir, mais en volume, elle est immense : tellement haute !

Au fond de la cuisine, une porte conduit dans la chambre des parents.

Quant à nous, les enfants, nos chambres (une pour les garçons, une pour les filles) sont situées à l'étage, au-dessus de l'écurie. On y accède par un petit escalier très raide. Pourquoi sur l'écurie ? Pour deux raisons. D'abord parce que l'écurie étant orientée au sud, cette façade de la maison reçoit largement la chaleur du soleil ; ensuite parce que nos chambres peuvent bénéficier aussi de la chaleur de l'étable, quand les jours sont froids : il n'est pas rare qu'il y ait de la neige en plein mois d'août – la montagne ne respecte pas toujours les saisons –, et avec cet agencement, c'est comme si nous avions le chauffage central : les vaches valent de bons radiateurs. Avantage dont nous tirons parti dans la cuisine aussi : l'un des bancs est appuyé contre la cloison de l'écurie ; nous choisissons souvent cette place, nous avons ainsi le dos au chaud.

Mais revenons à nos chambres. Dans chacune se trouvent deux lits de bois, placés de part et d'autre de la porte. Ils ont deux côtés seulement, car les deux autres sont formés par les parois elles-mêmes. Ils sont donc fixés ; impossible de passer tout autour, ce qui rend la tâche difficile quand il s'agit de les faire ou refaire. En guise de sommiers : des planches. Un matelas ? Vous n'y songez pas ! De la paille tout simplement, parce qu'elle est moins dure que le foin. Une toile pardessus, et le tour est joué. Chaque année, nous brassons bien cette paille pour l'aérer et lui redonner du gonflant, puis nous creusons notre trou, et la paille épouse la forme de notre corps ; celle-ci y restera imprimée tout l'été, et pas question de prendre la place du voisin !

Personnellement, je n'aime pas beaucoup cela : la paille, ça pique ! On a beau mettre une toile plus un drap, ça pique toujours ! Et comment voulez-vous border les couvertures ? Bref, il y a presque autant de paille « entre » les draps que « dessous ». Nous couchons à deux ou trois par lit : chez nous, les filles, l'un est occupé par Édith et Huguette – les deux grandes –, et le deuxième par Solange, Jeannine et moi – les trois petites. J'ai de la chance : on me laisse toujours la place du milieu. La dernière à se lever doit retaper le lit. Je suis *très* souvent de corvée, car Jeannine et Solange, plus lestes que moi, n'ont pas leur pareille pour me coincer, le temps qu'elles sautent à bas.

Au pied de chaque lit, trois clous entourés de chiffons nous servent de portemanteaux. Tous les habits doivent y être empilés, pas question de laisser traîner robes ou autres vêtements. Deux petites caisses clouées à la cloison font office d'étagères pour nos petites affaires. Ce qui n'y trouve pas place est rangé dans un cageot, sous le lit, avec chaussures et bottes. L'armoire est réservée au petit linge et aux tricots. À cinq dans une petite chambre, il faut avoir de l'ordre !

À côté de notre chambre : la partie grange. On y tient toujours du foin car lorsque la neige nous rend visite en plein été, il faut bien nourrir les vaches à l'écurie. On passe le foin directement de la grange à l'écurie par le *denieu*, trou pratiqué dans le plancher à cet usage.

L'après-midi, nous devons faire la sieste : nous nous levons tôt et couchons tard en montagne. Souvent, pour ne pas défaire le lit, nous nous allongeons sur ce foin, après nous être enfilés dans de grands sacs de jute. Il faut dire qu'ici, nous ne dormons guère : notre regard suit chaque rai de soleil qui filtre au travers du toit d'ancelles, nos oreilles restent en alerte : le foin craque chaque fois que nous nous retournons, il nous agace la peau de mille picotements et son odeur chaude nous soûle un peu ; ajoutez à cela le bourdonnement de quelques *tânes* qui ont leur nid juste là, à côté de nous... Entre toutes ces sensations, comment voulez-vous dormir ? Et pourtant, bientôt, vaincus par le sommeil, nos yeux se ferment, retenant en nous nos rêves heureux.

Au-dessus de la chambre des parents se trouve la réserve de petit bois. On en coupe toujours beaucoup. Il en faut pour allumer le feu de chaque jour, et celui sur lequel on fait chauffer la tomme. Le gros bois est soigneusement empilé le long des cloisons des chambres, ainsi tout est au sec. La corvée de descendre le bois à la cuisine nous incombe à nous, les enfants. Que de piles et de cageots nous devons charrier dans nos bras ! Mais que voulez-vous ! À chacun son travail. Celui-ci est le nôtre.

L'écurie occupe toute la longueur du chalet et peut contenir plus de vingt vaches. Elle est partagée en son milieu par une grande *raie* d'environ un mètre de large sur vingt centimètres de profondeur. Les vaches sont attachées de chaque côté, et cette raie leur sert, comme nous disons, de cabinets. Une rigole plus étroite (appelée le *courrieu*) part à angle droit de la raie principale, passe sous le plancher sud et permet l'évacuation du fumier. Au bout du courrieu, un trou est creusé dans le mur, et, à l'aide d'un *racle*, le fumier est envoyé directement dans la *carrière*. C'est ce qu'on appelle *paler* l'écurie. La carrière est une grande fosse à purin d'une contenance de dix mille litres au moins.

Il n'y a pas de crèche, le long des parois de l'écurie, mais seulement une longue barre de bois horizontale, où sont creusés une série de trous : on y passe les cordes pour attacher les vaches. L'emploi de cordes et non de chaînes est très important en montagne. Lors des violents orages, il arrive que les vaches attachées avec des chaînes soient foudroyées net : la chaîne conduit l'électricité, donc la foudre.

Chaque vache reçoit une place précise, elle n'en change plus durant tout l'été, et même durant toute sa vie de vache alpagée.

Dans l'écurie, deux portes : l'une, sur la façade du bas, sert au passage des bêtes ; l'autre nous est réservée et nous permet de transporter le lait au *fraidzi*, lors de la traite, sans faire le tour par dehors. Au moment des grandes chaleurs, ces deux portes restent ouvertes, pour que le courant d'air qui s'établit rafraîchisse la température de l'écurie. L'hiver, elles ne sont jamais fermées à clé : un skieur égaré ou quiconque en difficulté, lors d'une tempête, peut entrer passer la nuit à l'abri.

Il y a également une petite écurie pour les cochons, une autre pour les moutons, afin qu'ils soient à l'abri les jours d'orage, et un coin réservé à la jument ; un poulailler qui ferme, au-dessus de l'écurie des cochons – sans cette précaution, les rapaces ou autres nuisibles auraient tôt fait de décimer notre basse-cour ; une cave et le fraidzi.

La cave est au nord, juste à côté de la cuisine, sur la gauche. Elle a un sol de terre battue, et une partie directement creusée et empierrée dans le talus qui environne le haut de la maison. Elle garde ainsi toute sa fraîcheur. Elle ne possède pas d'autre ouverture que la porte et il y règne l'obscurité la plus complète. Tout un côté est réservé aux étagères où sont déposées les tommes, au fur et à mesure de leur fabrication. D'autres étagères reçoivent le beurre, sur de grandes plaques de verre très épais. On y serre également un tonneau de cidre, des pommes de terre, et deux garde-manger où l'on conserve viande et nourriture à l'abri des mouches.

Le fraidzi est une sorte de petite cave à lait, creusée directement dans le talus, et dans laquelle coule en permanence un ruisselet d'eau, qui lui conserve une température très fraîche, même par grande chaleur. C'est ici que nous déposons le lait, le temps nécessaire à la montée de la crème. Il repose dans de grands récipients tenus rigoureusement propres, à même le sol, eux-mêmes placés dans le passage de l'eau. Une fois écrémé, le lait sert à la fabrication de la tomme, et la crème à celle du beurre.

Voilà ! Tel est notre chalet d'alpage. Ainsi équipé, il nous permet de passer, sans trop d'inconfort, les trois à quatre mois d'été.

L'INSTALLATION AU CHALET

Notre premier matin aux Combettes : le ciel est si pur, l'air si vif que je me sens toute légère.

Aujourd'hui montent, conduites par leurs propriétaires, les vaches que nous garderons « en pension » pour l'été, ce qui porte l'effectif du troupeau à vingt vaches, dont quatorze sont des vaches à lait – donc à traire. Parmi les autres, on compte deux jeunes génisses, qui auront leur premier veau à l'automne, trois génissons (stade intermédiaire entre le veau et la génisse) et un veau.

*
**

Tout doucement, la vie s'est organisée au chalet. Maman est restée six jours (seulement !), le temps de roder le rythme quotidien et d'expliquer à Huguette, qui a pris la direction de la maisonnée, tout ce qu'elle doit faire et comment le faire. Ce n'est pas évident, vous savez, d'apprendre en une semaine à écrémer le lait correctement, fabriquer beurre et tomme, paler l'écurie proprement, faire la cuisine et tenir le ménage pour neuf personnes ! Huguette n'a que seize ans... mais beaucoup de bonne volonté ! Et avec l'aide des plus jeunes, ça va ! Pas le choix !

Les poules sont restées enfermées un jour ou deux dans leur poulailler, jusqu'à ce qu'elles soient habituées aux lieux et les reconnaissent bien. Dans un coin, deux caisses remplies de paille leur servent de nids. Tous les jours nous avons ainsi de beaux œufs frais. La viande n'apparaissant pas quotidiennement sur notre table, œufs et laitages en abondance complètent notre alimentation.

Les lapins aussi ont passé quelques jours à l'abri de grandes caisses en bois faites par nous, grillagées sur le devant et possédant un couvercle qui se soulève. Puis nous les avons mis en liberté. Deux petites cabanes leur font un refuge s'ils sont poursuivis par un chien, un renard ou encore... par nous-mêmes ! Ainsi, il n'est pas nécessaire de leur ramasser de l'herbe, ils se nourrissent tout seuls. De temps en temps nous améliorons leur menu avec de hauts pissenlits sauvages que nous cueillons en montant nos moutons au Prarion, ou encore avec des épluchures. Ils ont l'air de bien se plaire ici, il suffit de les regarder batifoler dans l'herbe encore perlée de rosée pour en être sûr.

Nos deux cochons sont enfermés dans leur écurie. Deux fois par jour ils sortent pour manger, dans une grande auge en bois, une nourriture à base de petit-lait, de pommes de terre et de son. Puis ils sont conduits en champ un moment, derrière la maison, histoire qu'ils se dégourdissent les pattes. Là ils courent, ils se roulent, ils creusent le sol, ils grognent de plaisir. Mais il faut les surveiller de près, car ils auraient tôt fait de nous fausser compagnie ! Et contrairement à ce qu'on pourrait penser, un cochon, ça court vite.

Les vaches, ce sont Papa, Édith et Solange qui s'en occupent : il faut les traire deux fois par jour, le matin à partir de quatre heures et demie ou cinq heures – selon le temps –, et le soir à partir de seize heures trente. Après quoi, elles sont conduites en champ, sous la garde de Papa, accompagné de Bernard, Jeannine ou moi. Papa se poste dans un coin avec Tilou, nous dans un autre, et attention à l'effrontée qui oserait paître en dehors de ces limites ! On appelle *suée* le rectangle où les vaches ont le droit de brouter. Elles ne doivent pas dépasser ; ainsi il n'y a pas de gaspillage et elles auront de la bonne herbe propre tout au long de l'été.

Édith et Solange sont plus spécialement affectées aux moutons. Je vais souvent avec elles : les vaches sont de grosses bêtes, elles me font peur ! J'aime mieux les moutons. Nous partons vers six heures du matin et nous les conduisons jusqu'au Prarion. Là-haut, ils broutent à leur aise jusque vers onze heures, puis nous les ramenons au bercail. Nous refaisons le même trajet le soir de dix-sept heures à vingt et une heures – et ce programme est immuable, tous les jours de l'été – beau temps ou mauvais temps.

Chantal est trop jeune, elle reste à la maison auprès de Huguette. Marcel, Fernand et Louis sont redescendus à Beaulieu avec Maman pour faire les foins.

Ainsi, tous les membres de la famille ayant une occupation bien précise, les travaux s'accomplissent en bon ordre et les jours se déroulent en parfaite harmonie.

LA FABRICATION DU BEURRE

Par quel mystère le lait blanc et mousseux se transforme-t-il en beurre couleur d'or, qui parfume délicieusement nos tartines ? J'interroge Huguette – comment s'y prend-elle ? Flattée de mon intérêt, elle ne demande qu'à me l'expliquer.

– Eh bien ! Pour commencer, on met la crème dans la baratte.

– Oui, ça, je m'en serais doutée !

– Si tu ne fais que m'interrompre, on n'en finira jamais.

– Oh ! excuse-moi ; continue.

– D'abord, avant de mettre la crème dans la baratte, il faut en vérifier la température. Elle ne doit pas dépasser 15 à 16º C, et c'est pour ça que je la laisse toute la nuit précédente dans l'eau du fraidzi, cela la garde bien fraîche.

– Et si elle dépasse la température quand même ?

– Alors, avant de la verser, je refroidis la baratte en la rinçant plusieurs fois avec de l'eau glacée. Normalement, ça suffit. Sinon, une fois la crème dans la baratte, je lui ajoute un peu d'eau glacée. Mais pas beaucoup.

– Pourquoi ?

– Parce que ça la diluerait trop. Et puis, la baratte serait trop pleine, ça brasserait moins bien la crème, ça ferait une masse compacte et le beurre n'arriverait pas à se former, ce serait plus long.

– Ah ?

– Oui, il ne faut jamais remplir la baratte plus qu'à moitié, parce que quand on la bat, la crème augmente de volume. Elle se gonfle d'air. Il faut qu'il reste assez d'espace vide pour qu'elle puisse s'agiter à son aise.

– Mais si c'est trop chaud, que se passe-t-il ? Le beurre se fait bien quand même ?

– Il se fait, mais il reste tout mou, tout pâteux. Il se sépare mal du petit-lait. Il colle partout. On n'arrive pas à le rincer correctement ni à le travailler comme il faut. Il est beaucoup moins bon !

– Et si la crème est trop froide ?

– Là, c'est plus facile. On ajoute un peu d'eau chaude pour l'amener à bonne température.

– Et ça fait quoi, autrement ?

– Ça fait que, même assez tourné, le beurre ne s'assemble pas. Il reste en tout petits grains.

– Et à ce moment-là, il serait trop tard pour y mettre de l'eau chaude ?

– Oui, dans un cas comme dans l'autre, il faut rectifier la température avant de commencer à tourner.

– Pourquoi ?

– Quand on commence à tourner, il ne faut plus s'arrêter jusqu'à la fin. Si on s'arrête avant que le beurre soit fait, la crème retombe et le beurre ne se fait plus.

– Ah... Alors, une fois que tu as tout bien vérifié, après, tu n'as plus qu'à tourner ?

– Eh bien oui ! Il faut compter une bonne heure au moins. Maintenant, avec la baratte électrique, c'est plus pratique. Mais l'autre baratte, avant, était presque aussi grande que moi, et plus grosse. C'était très dur et pénible de tourner la manivelle une heure, sans s'arrêter, régulièrement. C'est lourd, la crème !

– Et comment sais-tu quand le beurre est fait ?

– Je l'entends : le bruit n'est plus le même. Le beurre une fois formé s'assemble. Il fait de gros ploufs lorsqu'il retombe dans le petit-lait ; et tourner devient encore plus dur, parce que le beurre se coince entre les palettes et la paroi de la baratte.

– Le petit-lait, c'est quoi ?

– C'est la partie liquide de la crème, quand elle est séparée de la partie solide qui, elle, forme le beurre.

– Et qu'est-ce que tu en fais ? Tu le donnes aux cochons ?

– Seulement quand j'ai récupéré tout ce qui est consistant et bon dans ce petit-lait : j'en fais de la tomme blanche, dite « de lait de beurre » ou « de sérac » – celle que tu manges le soir avec tes patates *en robe*.

– Elle est drôlement bonne !

– Bien sûr, parce qu'elle contient plus de matière grasse que la tomme de simple lait, elle est beaucoup plus fine et onctueuse.

– Et quand le beurre est en morceaux dans la baratte, qu'est-ce que tu en fais ?

– J'arrête le moteur. Je finis d'assembler le beurre à la main, en tournant la manivelle dans un sens puis dans l'autre. Ensuite, je récupère le petit-lait dans un seau : tu vois, il suffit d'enlever le bouchon de vidange, sous la baratte. Je remets le bouchon, et je lave le beurre.

– Comment tu fais ?

– Je verse dans la baratte un seau d'eau froide. Je brasse bien, dans les deux sens, je retire l'eau. Et je recommence. Au moins quatre fois, pour que le beurre soit bien propre, débarrassé de toute particule de petit-lait.

– Et après ?

– Quand l'eau ressort claire, c'est signe que le beurre est assez lavé. Alors, je le sors et je le place dans un seau rempli d'eau froide.

– Et pourquoi ?

– Pour qu'il ne colle pas partout. Le beurre dans l'eau froide ne colle pas.

– Et après, tu le mets en tas ?

– Oui, je pèse des morceaux de différentes grosseurs – cinq cents grammes ou un kilo. Et je travaille chaque morceau : je prends dans mes mains de petites quantités de beurre – très peu à la fois – et je les tape et je les tourne et les retourne en les tapant toujours pour en faire sortir toute l'eau qui reste encore.

– Et ça fait tip tip... tap tap tap... !

– Eh oui !

– Alors, tu fais beaucoup de beurre, parce que ça dure longtemps !

– Plus de quatre kilos ce matin. Viens voir à la cave.

La porte de la cave couine, comme d'habitude, avec ce grincement de ses gonds en bois qui n'appartient qu'à elle et que je reconnaîtrais entre mille.

Les étagères portent plusieurs petits tas de beurre, déposés sur les plaques de verre. Ils se ressemblent tous : de belle couleur jaune, bien formés, bien lissés, tout brillants, ils répandent une bonne odeur de fraîcheur.

– Voilà. Demain, lorsqu'ils auront refroidi et durci, je les plierai dans du papier sulfurisé – comme ceux-là, qui sont déjà préparés. Et quand Maman viendra, elle les descendra pour les vendre aux clients de Saint-Gervais.

– Ils en ont, de la chance, les clients de Saint-Gervais : ton beurre est tellement bon ! Et il ne leur coûte pas le moindre effort ! Il leur arrive tout fait, tout frais. Mais quand je pense qu'ils ne doivent même pas savoir la peine que tu te donnes !

FAIRE LA TOMME

– Dis, Huguette, le beurre est rangé à la cave, alors, maintenant, tu n'as plus de travail ?

Huguette me lance un sourire amusé.

– Oh ! Bien sûr que si !

– Et quoi encore ?

– Je dois finir de faire la tomme. Ça t'intéresse ? Reste ici, si tu veux, et regarde.

Aussitôt, elle enlève le couvercle de bois posé sur le *pévré*, ce grand chaudron de cuivre qui contient 220 litres au moins. Du mur où il était pendu, elle décroche un étrange bâton. C'est Papa qui l'a fait. Il a coupé un jeune sapin d'un mètre vingt de haut, a ébranché le tronc sur un mètre, et sur le bout qui reste, tout autour, il a coupé les branchettes à dix ou quinze centimètres de longueur. C'est comme un hérisson à manche ! Il a ensuite écorcé le tout pour que le bois soit bien propre et bien lisse. Le vrai nom de cet ustensile ? Je ne sais pas. Nous, nous parlons simplement du *bâton à tomme*. À quoi sert-il ? À briser, dans le chaudron, le lait une fois caillé. On le tourne et le retourne dans cette masse durcie jusqu'à séparer une partie solide (qui deviendra la tomme) et une partie liquide : le petit-lait.

Mais reprenons par le début. Après la traite, le lait est passé dans l'écrémeuse. Nous l'écrémons à 30 % de matière grasse à peu près. Si nous laissions plus de matière grasse, la tomme serait meilleure, certes, mais nous manquerions de crème pour faire le beurre. Il faut garder un minimum de 20 à 30 % de matière grasse ; autrement, la tomme, trop maigre, devient dure, et sa qualité baisse.

Une fois écrémé, ce lait (celui d'un soir et d'un matin) est versé dans le pévré. Commence alors, chaque matin, la fabrication de la tomme. Huguette fait du feu, et réchauffe le lait jusqu'à 28 ou 29º C.

Cette température obtenue, elle retire le pévré de dessus le feu, en tournant la potence qui le supporte sur le côté. Économe, elle récupère, avec des pincettes, les bouts de bois qui brûlent encore, et les met dans l'autre fourneau, sous les casseroles. Il serait dommage de laisser consumer ce bois pour rien : il a fallu trop de travail pour aller le chercher, le couper, l'empiler.

Dans une grosse louche (un *pochon*), elle verse une cuillerée à soupe de présure, y ajoute un petit peu d'eau pour la diluer, et verse le mélange dans le lait tiédi. Elle brasse pour que la présure se répande uniformément dans la masse : c'est elle en effet qui fera cailler le lait. Ensuite, Huguette couvre le pévré de son couvercle pour qu'il ne refroidisse pas trop vite. Elle laisse reposer deux à trois heures, temps nécessaire au caillage.

Maintenant, je vais assister à l'opération suivante. Huguette a brisé le lait caillé en le brassant à l'aide du bâton à tomme.

Elle prépare dans l'encadrement du fourneau, posé par terre à même les pierres, ce qu'il faut pour rallumer le feu : un bout de papier journal, une poignée de petit bois, quelques morceaux de bois plus gros qui chapeautent cet édifice branlant. Elle craque une allumette et la flamme jaillit. Elle tourne à nouveau la potence, le pévré revient sur la flamme. Elle ne cesse d'agiter son bâton dans le chaudron. Ainsi, d'une part elle continue de briser le caillé, et d'autre part elle évite qu'il attache. Le thermomètre est suspendu dans le lait. Elle le surveille de près et vérifie très souvent. Il ne faut pas que la température dépasse 32º C. Sinon, la pâte à tomme devient caoutchouteuse, élastique, et la tomme gonflera une fois mûrie – bref, elle ne sera pas fameuse !

– Pourquoi tu réchauffes le lait caillé une fois brisé ?

– Parce qu'autrement la tomme et le petit-lait ne se séparent pas. Il faut pour cela une certaine température.

– Eh ben, c'est encore tout mélangé, pourtant ?

Préoccupée par son thermomètre, Huguette ne me répond pas de suite. La température est atteinte. Elle tourne la potence et enlève le pévré de sur le feu.

– Pousse-toi un peu, que je ne te brûle pas !

Elle arrête de brasser le contenu du chaudron et le laisse reposer ; elle ôte, comme elle l'a fait le matin, le bois à demi brûlé.

Pendant ce temps, de blanc, le contenu du chaudron devient vert. Le caillé, plus lourd, se dépose au fond, on ne le voit bientôt plus ; tandis que le petit-lait – devenu « vert » parce que dépourvu de particules solides, de matière grasse et de tout ce qui faisait sa consistance, allégé – nage sur le dessus.

Alors, elle reprend le pochon, un seau de fer, et recueille tout ce liquide, qu'elle verse à mesure dans un *govet*, grand récipient de bois cerclé de fer. Mélangé à du son et à des pommes de terre cuites, il fera une excellente nourriture pour les cochons. Là encore, rien ne se perd.

Bientôt le *péchon* blanc apparaît. Elle le brasse encore avec la louche, pour en extirper le maximum de petit-lait. Puis elle pose deux ou trois moules dans le chaudron (ce sont des récipients cylindriques, en fer, de dix-huit à vingt centimètres de diamètre, sur dix-huit centimètres de haut, percés d'une multitude de petits trous), et les remplit de cette pâte blanche.

– Ça n'entrera jamais tout dedans ?

– Mais si, quand ce sera bien tassé, tout tiendra.

Elle prend le péchon durci à pleines mains, le brise et le met dans les moules. Elle appuie avec ses poings, le tasse tant qu'elle peut. Du jus sort par les petits trous, libérant un peu de place. Dans l'un... dans l'autre... et voilà, au fond du chaudron ne restent que quelques brisures.

– Ça, c'est pour les poules. Il faut bien qu'elles mangent aussi !

– Et moi, tu m'en donnes un peu ?

Elle récupère de quoi faire une petite boulette, la presse dans ses paumes – pas trop, ce n'en est que meilleur – et me la tend.

Je déguste avec gourmandise le péchon frais. Du liquide coule le long de mon bras, mais quel délice !

Huguette lave l'extérieur des moules pleins et les dépose sur l'égouttoir. Elle aplanit la surface de la tomme, y pose un couvercle de bois, chargé d'une grosse pierre en guise de poids : les tommes, pressées, finiront de s'égoutter au cours de la journée.

Ce soir, Huguette les sortira des moules et les y replacera sens dessus dessous pour qu'elles s'égouttent de l'autre côté pendant la nuit. Demain matin, elle démoulera définitivement. Elle étendra sur chaque tomme une poignée de gros sel et les déposera sur les étagères, dans la cave. Le surlendemain, elle salera aussi l'autre côté ; et ensuite, une fois par semaine, il faudra les brosser, les tourner, les surveiller, jusqu'à ce que la croûte soit formée, qu'elles se fassent et mûrissent.

– Bon, maintenant, tu as fini de travailler ?

– Et le pévré ? Qui va le laver ? Toi ?

– Il est bien trop lourd pour moi, je ne peux pas le soulever, même vide !

Huguette décroche le pévré de la potence, elle finit de verser dans le seau le petit-lait chargé de miettes.

– Tiens, va donner ça aux poules.

Dehors, je vide le seau en dessous du bassin.

– Pie pie pie... Venez manger, les poules, pie pie pie...

Elles accourent ailes écartées, ventre à terre ! Elles se précipitent sur cette nourriture de choix, picorent à la hâte pour avoir plus grosse part. Quelles goulues ! Elles se bousculent... pic pic pic... Le coq lance un cocorico précipité avant de se remettre à son festin.

Huguette a lavé le chaudron, l'a frotté avec une éponge « qui gratte », l'a rincé à l'eau bouillante. Elle le sèche bien et le range sur la potence, son couvercle bien en place pour le protéger de toute saleté. Et voilà : il est prêt pour ce soir. Ouf !

– Alors, tu as fini maintenant ?

– Pourquoi ?

– Ben... pour jouer !

– Mais bien sûr que non, je n'ai pas fini ! Si tu veux manger à midi, il faut bien que je prépare le repas ! Et les vaches ne vont pas tarder à arriver, il va falloir que j'aille les attacher à l'écurie !

– Alors... je peux t'aider ?

– Oui, si tu veux, tu peux aller chercher de l'eau : les seaux et les brocs sont tous vides.

– D'accord.

Nous n'avons pas l'eau courante dans la cuisine. Il faut s'approvisionner au bassin. En avant donc pour les navettes, et patience.

J'attrape au passage les deux brocs, le blanc et le bleu. Combien de voyages pour remplir le seau qui sert de réserve, et aussi la grosse marmite sur le feu et la bouillotte du fourneau ?

Je viens de finir quand les vaches arrivent. Elles se désaltèrent longuement et rentrent une par une à leur place. Huguette aide Papa à les attacher.

Il est presque midi. Depuis quatre heures et demie ce matin, Huguette ne s'est arrêtée qu'un court moment pour le petit déjeuner. Et la journée est encore longue.

Dormir ? Jouer ? Regarder ? Aider ? Profites-en bien, petite Michelle. Dans quelques années, qui donc, crois-tu, remplacera Huguette ? Mais même si le travail est abondant et assez dur, j'aimerai cette vie laborieuse, saine. Et je saurai bien trouver un peu de temps pour rêver...

1952

EN CHAMP AUX MOUTONS

Que faites-vous, bergère,
Là-haut sur ces vallons ?
Ce que je fais, dit-elle,
J'y prends les soins
Du troupeau de mon père
Qui n'est pas loin !

C'est au Prarion, au-dessus des Combettes, que nous allons en champ aux moutons – toujours à plusieurs, deux ou trois, et parfois même quatre. Le temps ne nous semble pas long : nous nous amusons bien.

Six heures du matin. Il va être l'heure de partir. Tout en finissant d'avaler notre petit déjeuner, nous nous concertons :

– Qu'est-ce qu'on va faire aujourd'hui ?

– Si on jouait aux marchands ?

– Oui, mais de quoi ?

– Eh bien, on fera des tommes et du beurre avec de la terre glaise, et on les vendra.

– Oh oui, quelle bonne idée, c'est d'accord !

– Mais nos tommes et nos mottes de beurre, où les entreposera-t-on, en attendant de les vendre ? Il nous faudrait des caves !

– Eh bien, on en creusera dans le talus près du petit lac.

– C'est ça, et pour faire des étagères, on montera des ancelles.

– Oui, oui, chacun deux ou trois, ça suffira. D'accord !

Nous allons tout joyeux préparer notre petit tas d'ancelles. Pendant ce temps, Huguette coupe nos tartines. De six heures à midi, c'est long, et nous avons bon appétit. Aussi, nous n'oublions jamais nos deux tartines, une beurrée, l'autre à la confiture – les deux ensemble ? c'est délicieux.

Elles sont coupées dans de gros pains de deux kilos. Il nous faut bien ça : l'air pur et la marche, ça donne faim. Nous les mettons dans un sac en papier, et – hop ! – le sac dans la poche du manteau. Nous partons, nous sommes pressés aujourd'hui.

– Au revoir, à tout à l'heure.

– Au revoir, et ne perdez pas les moutons, hein ! Tâchez de bien les surveiller.

Parfois, ça nous arrive ; surtout lorsque nous sommes plusieurs et trop absorbés par nos jeux. Nous les oublions, et les scélérats en profitent pour nous fausser compagnie. Mais nous n'avons pas intérêt à rentrer à la maison sans eux : nous sommes renvoyés aussitôt à leur recherche, et tant que nous ne les avons pas retrouvés, il est inutile de retourner aux Combettes. Cependant, en principe, ils ne se cachent pas bien loin, et il y en a toujours un pour faire tinter sa clochette, ce qui nous met sur leur piste.

Ce matin, nous sommes quatre : Solange, Jeannine, Bernard et moi. C'est formidable. D'autant qu'il va faire un soleil magnifique. (Lorsque vient le mauvais temps, il n'y a que deux volontaires désignées d'office : Édith, parce que plus âgée, avec Solange, en général. Jeannine et moi, nous sommes encore très jeunes. Nous avons très peur de l'orage et cédons volontiers la place aux grandes.) Nous emportons chacun deux ancelles. On ne dirait pas, mais c'est bien assez lourd pour nous, jusqu'au Prarion.

Ainsi chargés, nous ouvrons le parc à moutons.

– Tax... tax... tax...

Solange et Bernard prennent la tête ; Jeannine et moi, nous sommes l'arrière-garde. En avant, marche !

– Bééé... bééé...

C'est une brebis qui appelle son petit.

– Bèèè... bèèè..., répond-il sur un ton plus léger. (« Oui, maman, je suis là. »)

Comment fait-il pour ne pas se tromper de maman dans le nombre ? Mais ce n'est pas le moment de flâner. On les active :

– Allez, hue !

Nous les poussons un petit peu, nous avons hâte d'être en haut, bien que nous ayons tout le temps : l'été n'est pas fini, certes !

Nous montons dans la fraîcheur du matin. Il nous faut une demi-heure pour arriver en dessous du rocher. À partir de là, c'est notre domaine, aux moutons pour brouter, à nous pour jouer.

Nous trempons nos mains au passage dans un petit ruisselet.

– Brrrrr ! Que c'est froid !

– Ce soir, on se baignera les pieds, et on fera un beau barrage ?

– Oui, ce soir, mais pas maintenant : c'est trop froid !

Nos moutons montent tout doucement vers le Prarion. Il sont bien. Il n'y a pas encore de mouches ; aussi, ils mangent tranquillement. Nous allons directement à l'endroit choisi pour notre jeu. Nous déposons les ancelles.

– Voilà, ici, c'est parfait. On a le talus pour creuser les caves, et l'eau pour fabriquer la marchandise.

– Oui, et la terre n'est pas dure !

Nous empoignons une ardoise en guise de pelle, et hop ! la terre s'envole... Nous creusons ainsi un grand moment. Puis, Jeannine et moi, nous laissons continuer Solange et Bernard. Trop impatientes, nous commençons la fabrication des tommes et des mottes de beurre. Nous prenons de la bonne terre glaise, il n'en manque pas par ici, et le petit lac fournit l'eau nécessaire. Nous ne nous occupons pas des salamandres qui l'habitent, si étonnantes avec leur dos brun et leur ventre jaune : ce sera pour une autre fois, aujourd'hui nous avons trop à faire !

Nous avons de la terre plein les mains, et même jusqu'aux coudes, mais nos tommes prennent forme. Nous les déposons délicatement sur de grandes ardoises qui font office de plateaux. C'est très joli. Nous sommes fières de nous.

Mais voilà ! Pris par nos jeux, nous avons oublié l'heure... et nos moutons ! Les taons sont là depuis longtemps. Nos moutons doivent être en train de *choumer* quelque part : quand il fait beau et chaud, à partir de dix heures environ, lorsqu'ils sont bien rassasiés et que les assauts des taons se font trop pénibles, ils s'agglutinent tous en tas à l'ombre d'un rocher ou des *varosses*, et ils choument, c'est-à-dire qu'ils restent sans bouger, la tête basse tournée vers le centre du cercle, un peu comme dans une mêlée de rugby ; et ils attendent qu'on veuille bien les laisser redescendre. D'autres fois, ils nous plantent là et rentrent seuls au pas de course à la maison. Aujourd'hui, ils doivent être encore dans les parages : nous ne les avons pas entendus redescendre, ni vus passer près de nous. Nous ne nous affolons pas. Deux par deux, nous entamons les recherches.

– Tax... tax...tax...

– Eh, moutons ! Où êtes-vous ?

Solange et Bernard partent vers Lachat. Peut-être sont-ils allés choumer près de cette vieille écurie ? À son ombre, ils ont pu trouver un peu de répit, échapper à la piqûre des taons, aux mouches qui agacent et à la chaleur du soleil ?

Jeanine et moi prenons la direction opposée : de ce côté se trouve un petit rocher qui forme une grotte en dessous. Ils apprécient particulièrement ce coin. Ils y jouissent d'une certaine fraîcheur, entretenue par de minces filets d'eau qui suintent continuellement. Il doit y avoir une source à cet endroit, car c'est la naissance de *moïlles* qui se transforment bien vite en un ruisselet.

– Pourvu qu'on les retrouve !

– Oui, il doit être l'heure de redescendre.

Nous n'avons pas de montre, mais pour savoir l'heure, nous regardons la position du soleil dans le ciel. Le soir, nous avons comme repère les lumières de Sallanches, lorsqu'elles s'éclairent. Nous ne partons pas avant ce signal, il serait trop tôt et nous nous ferions gronder en arrivant. Puis, les moutons mangent bien mieux et plus tranquillement à la fraîcheur de la nuit, si bien que nous redescendons toujours à nuit noire. (Les jours de brouillard, lorsque nous ne distinguons plus rien, nous évaluons le temps qui passe à l'instinct, et il est rare que nous nous trompions.)

Pour le moment, nous cherchons, nous appelons :

– Tax... tax... tax...

On sait bien qu'on peut toujours appeler ! Même s'ils nous entendent, ils ne se dérangeront pas. Lorsqu'ils choument, seuls nos bâtons peuvent les déloger et les faire changer d'avis.

– Tax... tax... tax...

– Ah, les bourriques ! Ils ne pourraient pas répondre !

Nous sommes un peu en colère contre eux. Ils ne pourraient pas rester avec nous, non ? Il y a pourtant assez d'herbe, ici, et elle est aussi bonne qu'ailleurs. Mais inutile de nous fâcher, ça n'avance à rien. Et puis, c'est bien de notre faute, on aurait pu les surveiller !

– Tu passes par en haut, moi par en bas, d'accord ? On les retrouvera plus vite, s'ils sont par là.

– Oui, et la première qui les trouve siffle bien fort pour appeler l'autre.

Et soudain... un petit son de clochette. Hourra, les voilà ! Ils sont tous sous le petit rocher, agglutinés la tête en bas, bien serrés les uns contre les autres.

Jeannine appelle fort, tout heureuse.

– Tu vas prévenir Solange et Bernard. Moi, je les déloge, et on rentre.

Un moment après, nous descendons tous ensemble vers les Combettes.

– On s'est bien amusés, hein, même si on a perdu les moutons. On ne leur dira pas. Et ce soir ou demain, on continuera.

Quelques années ont passé...

Édith travaille en ville, Solange est mariée, Jeannine poursuit ses études, Bernard fait les foins à Beaulieu. Je me retrouve seule à aller en champ aux moutons. Je rôde l'âme en peine près de nos caves à moitié démolies. Je repense à nos jeux avec nostalgie, et la solitude va me rendre encore un peu plus sauvage. Mais je décou-

vre aussi la contemplation muette des merveilles qui m'entourent, et je deviens amoureuse du silence. La solitude me pèsera toujours, bien qu'elle ne manque pas de charme. Une chose est sûre, je ne perdrai plus mon troupeau : j'ai tellement besoin d'une compagnie, quand ce ne serait que celle de mes moutons !

Que faites-vous, bergère,
Là-haut sur ces vallons ?
Ce que je fais, dit-elle...
Pour éloigner toute mélancolie
Je chante seule et l'écho me répond...

UN SOMMEIL BIEN MÉRITÉ

Hier soir, il a été décidé que ce matin, je pourrais faire la grasse matinée.

En effet, personne ne m'a dit de me lever. Je suis exemptée de tout travail. Et, ayant du sommeil en retard, je dors comme une bienheureuse, étalée dans la bonne chaleur de mon lit. Un lit pour moi toute seule, car Solange et Jeannine se sont déjà levées pour aller en champ aux moutons.

Il y a bien eu du remue-ménage juste en dessous de ma chambre, vers six heures, lorsque Huguette a détaché les vaches et que Papa est parti en champ avec elles, mais le tintement des carrons, s'il est très sonore, fait partie des bruits familiers de la maison, et il m'a à peine réveillée. Je me suis tournée de l'autre côté, bien aise de cette permission accordée, de pouvoir me prélasser et de dormir, dormir, dormir... J'ai remonté la couverture bien haut sur ma tête, comme lorsqu'il y a de l'orage et que je ne veux pas voir les éclairs, et – ron... pss... – je suis repartie au pays des rêves.

Deux ou trois heures, peut-être même quatre, ont dû passer. Et je dors toujours d'un sommeil de plomb, du sommeil du juste.

Pendant ce temps, dans la cuisine, Huguette vaque à ses occupations habituelles : elle fait chauffer le lait pour la tomme, met la baratte en route pour le beurre, pale l'écurie, fait la vaisselle de l'écrémeuse et des seaux à traire. Mais rien ne me sort de mon sommeil.

Il fait grand jour dehors, et dans la chambre aussi, mais que m'importe ? Mes yeux dorment, mon corps dort, mon esprit dort, tout en moi et tout ce qui est moi dort. Il me semble qu'il y a si longtemps que je n'ai pas dormi tout mon soûl ! Car peut-être plus que les autres j'ai besoin de sommeil ; en manquer me coûte cruellement. Chaque matin, c'est la croix et la bannière pour me lever. Les nuits sont courtes, aux Combettes. C'est pourquoi, de temps en temps, chacun à notre tour, nous avons droit à une matinée de répit. Je dis « nous », mais cela concerne les plus jeunes seulement. Papa, Édith et Huguette, eux, se lèvent toujours à la même heure : sommeil ou pas, pour eux, à quatre heures et demie sonne le réveil. La journée commence, avec son lot de travail : Huguette allume le feu avant d'aller tourner l'écrémeuse ; Papa et Édith, après avoir bu le café du thermos préparé la veille au soir, vont traire. Ceux qui doivent seulement aller en champ se lèvent une heure plus tard ; et, fatigués ou pas, debout !

Pour moi, ce matin, c'est dormir, dormir... Ah ! que c'est merveilleux ! J'en rêve de bonheur, j'en souris de bien-être... Mais...

– Tip... tap... tip... tap...

– Tip tip tip... tap tap tap...

Qu'est-ce que c'est ?

– Tip tip tip... tap tap... plaf... tip tip...

Oh ! ce bruit qui veut me sortir de ma torpeur bienheureuse... Il est bien discret, comparé à celui des carrons tout à l'heure, ou même à ceux que faisait Huguette en lavant la vaisselle ou en palant l'écurie, et pourtant, c'est lui, mat et régulier, qui vient à bout de mon sommeil.

– Tip tap... tip tip... tap tap...

Oh ! zut ! Pas moyen d'avoir la paix !

Je me tourne et me retourne. Et le bruit continue. Quelle heure peut-il bien être ? Je me risque à ouvrir les yeux. Grand jour... du soleil... les oiseaux chantent dehors... Et toujours :

– Tip tip... tap tap...

Ça vient de la cuisine... J'y suis ! C'est Huguette qui fait le beurre ! Oh ! Elle aurait bien pu attendre un peu, elle en fait, un boucan ! Je l'interpelle de ma chambre :

– Tu n'as pas bientôt fini ton raffut !

– Ah ! Tu es quand même réveillée !

– Comment je pourrais dormir, avec tout ce bruit ?

– Il faut bien que je fasse mon travail, pendant que tu te prélasses !

– Ben oui, mais... C'est mon jour de congé, aujourd'hui ! Quelle heure est-il ?

– Plus de dix heures.

– Pas possible ! Déjà !

– Eh oui ! Et tu peux te dépêcher de te lever, si tu veux déjeuner avant midi, car plus tard... ce ne sera plus la peine !

Rater le petit déjeuner ? Pas question ! Et puis c'est vrai, j'ai assez dormi ! Je m'étire et me lève d'un bond. En une minute, me voilà habillée. Un coup d'œil à la fenêtre : *grand beau* ! Je suis en pleine forme, bien reposée, la vie est belle, vive la vie !

Je sors de ma chambre et descends l'escalier. Huguette a presque fini de faire le beurre.

– Bonjour. Alors, bien « roupillé » ?

– Salut ! Oh, que oui. Et ça fait drôlement du bien. Dommage que tu m'aies réveillée si tôt !

Décontenancée par tant d'aplomb, elle se contente d'en rire.

– Va te débarbouiller dehors. Ça finira de te réveiller, pendant que je range et que je mets chauffer ton café. Mais ne mets pas de savon dans l'eau du bassin, parce que les vaches ne vont pas tarder d'arriver pour boire.

– Oui, oui, je sais.

J'attrape le gant de toilette, le savon, la serviette, ma brosse à dents, le dentifrice, et je sors. Ah ! gla gla... Que l'eau est froide ! Mais ça fait du bien quand même. Je m'asperge à qui mieux mieux. L'eau me coule dans le cou. La toilette est presque aussi vite expédiée que l'habillage : pas de temps à perdre !

Je rentre et remets en place les affaires de toilette. Une bonne odeur de café se répand dans la cuisine. Huguette a préparé sur la table mon bol et tout ce qu'il faut pour mon petit déjeuner.

– Tiens, tu pourras prendre du beurre tout frais.

– C'est vrai ? Oh, merci, c'est bien gentil !

Et je m'installe sur le banc. Elle prend elle aussi un bol de café au lait pour m'accompagner.

– Tu ne goûtes pas à ton beurre ? Il est pourtant délicieux !

– J'ai déjà déjeuné.

– Ça ne fait rien, tu peux recommencer quand même !

Elle se sert une toute fine tranchette de pain qu'elle tartine de ce bon beurre qu'elle vient de faire – sous le couteau, de minuscules gouttelettes d'eau jaillissent. Son goût est savoureux, son parfum, délectable. Je ne cache pas mon admiration :

– Mais comment fais-tu pour que ton beurre soit si bon...

Elle est modeste, Huguette :

– Oh ! Ce n'est pas bien difficile, il suffit de respecter soigneusement les règles, à chaque étape de sa fabrication.

Peut-être, mais en le dégustant, ce sont toutes les fleurs et l'arôme même de la montagne que je retrouve...

MENER LE FUMIER

– Dis, Papa, on va plus pouvoir paler l'écurie : la carrière est toute pleine. Elle va déborder, si ça continue !

Nous sommes aux Combettes depuis deux mois. Chaque jour, de onze heures à dix-sept heures trente et de vingt et une heures trente à six heures le lendemain, nos vaches sont à l'écurie. Nous palons deux fois par jour : ça en représente, du fumier !

– Oui, oui, je sais bien. J'attends qu'il y ait un peu plus d'eau au ruisseau de Planche-Bleue, qu'elle puisse venir jusqu'ici, et on *mènera* le fumier.

– Pourquoi tu as besoin de l'eau du ruisseau ? Et celle du bassin, alors ?

– Elle ne risque pas de suffire !

– Il faut tant d'eau ? Pour quoi faire ?

– Eh bien, tu vois, le fumier dans la carrière est tout épais. Il ne pourrait pas couler dans les champs, il faudrait le transporter avec une brouette ; tu imagines le travail ! Tandis que si on le mélange avec de l'eau, il devient liquide et on peut le laisser descendre tout seul dans les champs ; on le fait aller partout où on veut et il est facile de l'étendre.

– Ah... Mais comment elle va venir, l'eau de Planche-Bleue ? Parce qu'il est loin, le ruisseau !

– Oui, il est loin, mais c'est le plus proche de la maison... On va creuser une rigole depuis le ruisseau jusqu'ici.

– Et puis l'eau va venir dans la carrière ?

– Eh oui !

– Mais puisque la carrière est déjà pleine... L'eau va sortir par-dessus !

– Non, parce que, avant, nous aurons préparé d'autres rigoles en direction des champs situés en dessous de la maison et de la route. C'est par elles que le fumier une fois délayé partira. Et on l'étendra dans les champs.

– Mais ça sert à quoi, de faire ça ? Après, l'herbe sera toute sale, les vaches ne voudront plus la manger !

– Ça sert à nourrir la terre. L'été prochain, l'herbe repoussera beaucoup plus belle et plus épaisse. Mais bien sûr, on met le fumier seulement là où les vaches ont déjà mangé !

– Ah bon ! Mais le fumier avec l'eau, par où ils vont sortir ?

– Tu as bien vu la petite porte, dans le mur en bas de la carrière ? Eh bien, ils sortiront par là.

– Mais dis, qui est-ce qui va l'étendre, le fumier, dans les champs ? Ce sera nous ?

– Ce sera les garçons et tous ceux qui sont assez grands pour travailler.

– Et moi aussi ?

– Si tu veux ; ce n'est pas difficile : tu prends un racle, tu le tournes à l'envers, et en frottant par terre dans le purin qui s'écoule, tu l'envoies gicler le plus loin que tu peux, pour recouvrir l'herbe au fur et à mesure.

– Je veux bien essayer... Mais je vais me salir ! Et Huguette ne sera pas contente !

– Tu mettras des bottes et des habits à traire. Comme ça, tu ne risqueras rien.

– D'accord. On va bien s'amuser !

– M'oui... Sûrement...

*
**

Le grand jour est arrivé. Pour l'occasion, Marcel, Fernand et Louis sont montés de Beaulieu. Les foins attendront bien un jour ou deux. Ici, il y a plus urgent.

Une heure de l'après-midi. Nous enfilons des bottes (parfois bien trop grandes pour nos pieds), des habits à traire ou de vieux vêtements plus qu'usagés. Ainsi accoutrés, nous ressemblons à une troupe de carnaval – drôle de carnaval, peut-être, carnaval de pauvres, mais nous en rions de bon cœur.

Papa est déjà sur le mur de la carrière. Il prépare un passage dans la croûte du fumier, depuis le bord jusque vers la petite porte en bas au centre. Puis il creuse devant cette porte, dégageant une sorte d'entonnoir assez grand dans lequel, en brassant, il délayera fumier et eau pour obtenir un purin liquide. Alors, il enlèvera l'une des planches, ménageant une ouverture raisonnable par laquelle le purin s'écoulera, courant, caracolant, bondissant jusqu'au bout des champs.

Marcel monte jusqu'au ruisseau pour « mettre l'eau », c'est-à-dire qu'il fait un barrage sur Planche-Bleue. L'eau ainsi retenue est détournée et s'engouffre dans la rigole. Elle dévale jusqu'à la maison, tout heureuse de la promenade. Quand elle atteint la carrière, Papa brasse et mélange à l'aide d'un racle à long manche, et le purin est lâché dans la rigole sans risque d'obstruction.

Marcel, Fernand, Louis, Édith et Huguette, armés de racles, bêches ou tout autre instrument pouvant faire office de poussoir, ont rejoint leurs postes, tout au bout de la rigole : on commence toujours par les endroits les plus éloignés, pour aller en se rapprochant de la maison. Quand le purin arrive, ils tapent sa masse colorée et malodorante. Ils la font gicler le plus loin possible sur l'herbe de façon à la recouvrir complètement. Quand tout est noirci, ils bouchent la rigole trois ou quatre mètres en avant et reprennent la manœuvre. Ils doivent bien avoir un kilomètre à remonter à ce rythme !

Pour s'amuser, ils s'amusent ! Car, bien sûr, ils n'évitent pas de s'éclabousser les uns les autres, involontairement – ou volontairement, malgré leurs airs innocents ! Alors, tout le vocabulaire défile, sans compter les revanches ! « Tu m'as giclé ! Attends un peu ! » Et vlan !... un bon coup bien orienté...

Nous, les plus jeunes, nous sommes au spectacle, pliés en deux de rire. Aussi nous envoie-t-on faire les cent pas le long de la rigole pour vérifier qu'elle n'ait pas de fuite ou qu'elle ne se bouche pas quelque part. Si besoin, nous devons soit la dégager avec un *fosseu* ou avec nos mains, soit la colmater avec des mottes de terre et d'herbe.

Lorsque le débit de purin est trop fort, l'un de nous va prévenir Papa afin qu'il le ralentisse.

Bientôt chacun a un emploi et participe au travail. Ce n'est d'ailleurs pas dans l'esprit de la famille que les uns s'activent tandis que les autres regardent. Ça devient alors nettement moins drôle. Et au bout de trois heures, non seulement ce n'est plus drôle du tout, mais c'est très fatigant. On est complètement éreintés. On n'a plus la moindre envie de rire, ni même de s'éclabousser.

Huguette remonte alors et va « couper l'eau » à une centaine de mètres de la maison. Elle pose une grosse motte de terre au beau milieu de la rigole, barrant le passage à l'eau, qui s'échappe et se déverse dans les champs.

Papa, après avoir remis en place les planches de la porte de la carrière, descend le long de la route pour juger du travail accompli. Une bonne partie des champs est maintenant noircie. Il est content.

Nous, nous regagnons péniblement la maison. Mais là, quelle déception ! Après tant d'efforts, la carrière est à moitié vidée seulement ! Ce qui veut dire que demain – et peut-être après-demain encore –, il faudra recommencer. Nous n'avions pas pensé que, le purin comportant six à dix mesures d'eau pour une mesure de fumier, malgré la quantité épandue, le contenu de la carrière diminuait très lentement !

Mais pour aujourd'hui, ça suffit. Il est quatre heures, c'est la pause sacrée et appréciée du goûter. Nous nous rendons tous au bassin. Avec le savon, il s'agit de frotter fort pour enlever au maximum le fumier et son odeur persistante. Ensuite, fleurant le propre, nous prenons un moment de repos, assis devant les bols de bon café au lait fumant. Pain, beurre et confiture circulent autour de la table.

Nous dévorons de bon appétit avant de reprendre le travail habituel : la traite, l'écrémeuse, la vaisselle, aller en champ... et paler l'écurie !

– Dis, Papa, les vaches, elles vont recommencer à faire du fumier pour « re-remplir » la carrière ?
– Oui, bien sûr.
– Et il faudra la « re-vider » ?
– Oui.
– Oh ! Eh bien, zut, alors !

LA MESSE AU COL DE VOZA

Aujourd'hui, c'est dimanche. Huguette se dépêche de fabriquer beurre et tomme. Édith est partie seule en champ aux moutons, et Papa, seul aussi, en champ aux vaches. Solange, Jeannine, Bernard, Chantal et moi, nous restons à la maison ce matin, car, à dix heures, nous irons tous ensemble avec Huguette à la messe du col de Voza.

Durant la saison d'été, la petite chapelle du col de Voza est ouverte à tous les errants et demeurants de la montagne. Un prêtre monte de Saint-Gervais par le petit train à vapeur, le « train du Mont-Blanc », et y arrive vers onze heures pour célébrer la messe.

Malgré nos multiples occupations et l'éloignement, nous ne voulons pas manquer cette messe. Il nous faut une bonne heure pour nous y rendre. Combien de kilomètres ? Je ne sais pas. En montagne, la distance ne se mesure pas en kilomètres, mais au temps qu'il faut pour les franchir. C'est pourquoi Huguette se presse : nous devons nous mettre en route à dix heures, dernier délai. Pour l'avancer, Solange et moi palons l'écurie, Jeannine prépare le *farcement*, Bernard donne un dernier coup de brosse aux chaussures, Chantal range la vaisselle. Papa et Édith, ne pouvant se joindre à nous, ont emporté leur missel, et ils liront la messe et prieront en communion avec nous et tous les chrétiens du monde.

Dix heures moins le quart. Huguette s'inquiète.

– Solange et Michelle, c'est fini à l'écurie ? C'est propre ? Je n'ai pas besoin de vérifier ?

– Oui, oui, c'est fini et c'est très propre.

– Jeannine, tu as bien mis les pruneaux dans le farcement ? Tu n'as pas oublié le sel ?

– Non, tout y est, il cuit déjà !

– Chantal, la vaisselle est bien rangée ?

– Oui, tout est en place.

– Bernard, les chaussures sont préparées ? Elles brillent ?

– Oui, elles sont là !

Et tout le monde court, s'active, se lave au bassin, s'habille, se coiffe, se chausse.

– C'est dix heures, vous êtes prêts ?

– Nous sommes prêts.

– Alors, on y va.

Huguette ajoute deux gros morceaux de bois dans le fourneau (lorsque Papa rentrera, il en remettra) : le farcement et le pot-au-feu cuiront tout seuls pendant notre absence. Elle ferme la porte pour que les poules n'envahissent pas la cuisine, et nous voilà partis.

Par où passons-nous ? par le Prarion ou par la Charme ?

– Par le Prarion, c'est plus joli.

– D'accord ! Et on reviendra par la Charme : c'est plus court.

Nous sommes heureux, tout endimanchés. Nous avons envie de chanter, mais nous ne le faisons pas, car nous marchons vite pour ne pas être en retard, et chanter en montant, ça essouffle !

Nous donnons la main à Chantal, qui est la plus petite, et notre troupe avance gaiement. Au Prarion, nous faisons de grands signes de la main à Édith pour lui dire bonjour en passant. Puis nous dévalons la dernière pente qui nous sépare encore du col de Voza. C'est à qui arrivera le premier. Eh bien, les premiers, aujourd'hui, ce n'est pas nous : ceux de chez Martial, venant des Chaussets, sont déjà arrivés. Éliane et Simone font causette dans un coin.

Tandis que tout le monde s'embrasse, je dresse l'oreille. D'où vient cette musique, un peu à l'écart ? Derrière une grosse pierre s'élève une discrète mélodie : c'est Hubert qui, couché dans l'herbe, joue de l'harmonica, tout doucement... Comme en sourdine, comme pour lui tout seul.

Petit chasseur au coeur vaillant,
Il faut quitter la paix des champs...

Ses yeux sont emplis de l'immensité du ciel. Je suis émerveillée ! C'est si beau. Son chant s'harmonise avec celui des cloches qu'agitent les vaches paissant un peu plus loin, et aussi avec la splendeur du paysage qui nous entoure. Je m'approche de lui à pas légers, sans faire de bruit. Je m'assois dans l'herbe. Ma fatigue s'est envolée. La paix descend au fond de mon âme.

Juste un peu en dessous de nous, le petit train s'époumone :

– Tchou tchou tchou tchouïïïe...

Il souffle, il halète, il lâche un dernier jet de vapeur et s'arrête. Un prêtre tout en noir en descend. Il ne peut s'empêcher d'admirer la magnificence du panorama. Puis il attaque la petite côte qui le sépare de nous : ses paroissiens l'attendent.

Oh ! nous, nous ne sommes pas pressés ! Le temps ne compte pas. Nous nous laissons imprégner de toute cette beauté... N'est-ce pas là aussi une façon de prier ?

– Bonjour, monsieur l'abbé.

– Bonjour, tout le monde. Belle journée, aujourd'hui ! Quel cadre superbe, grandiose !... Mais vous qui l'avez chaque jour sous les yeux, peut-être êtes-vous un peu blasés ?

– Oh non ! monsieur l'abbé. Ce n'est pas deux fois pareil, c'est toujours nouveau. On ne se lasse pas d'admirer.

Il nous regarde, un clair sourire aux lèvres. Martial s'approche de lui :

– Monsieur l'abbé, quand vous voudrez. L'autel est prêt, les burettes sont remplies.

– C’est bien. Les enfants, sonnez la cloche, que les retardataires se hâtent !

Mais des retardataires, il n’y en a pas. Nous sommes tous à l’heure. La cloche sonne quand même à toute volée. Nous entrons. Dans la chapelle, nous nous serrons un peu : elle est petite et nous sommes bien vingt à trente personnes à vouloir participer à la messe. Mais quoi, chacun aura sa place !

– *In nomine Patris et Filii et Spiritus Sancti.*

– *Amen.*

Nous ne sommes plus qu’une seule âme. M. l’abbé célèbre la sainte messe, et nous prions, et nous chantons en chœur. À la Consécration, Gilbert, l’enfant de chœur, secoue la clochette de toutes ses forces.

– Di li ling... di li ling...

– Mon Dieu, je Vous adore et je Vous aime.

Nos têtes s’inclinent. Oui, mon Dieu, Tu es présent parmi nous. D’ailleurs, Dieu n’est-il pas en permanence avec nous ? Nous sentons sa présence dans sa création. Comment pourrait-il en être autrement ? Nous sommes entourés de tant de beauté ! Dieu est beauté... Dieu est Amour...

La messe se termine. M. l’abbé se tourne vers nous.

– *Dominus vobiscum...*

– *Et cum spiritu tuo.*

– *Ite missa est...*

– *Deo gratias.*

Il est heureux. Nous aussi. Nous sortons de la chapelle, ragaillardis. Nous sommes prêts pour une nouvelle semaine.

Dehors, nous attendons M. l’abbé, pour lui faire signer le carnet de présence qu’on nous a donné au catéchisme et qui atteste notre assiduité... ou nos manques ! Puis, nous lui serrons la main.

– Au revoir, monsieur l’abbé, à dimanche prochain !

– Au revoir, mes enfants. Bon retour !

Et nous repartons, chacun dans notre direction, le cœur empli de paix et de joie.

Quelle heure est-il ? Peu importe ! Lorsque nous arrivons à la maison, la table est mise, le farcement et le pot-au-feu sont cuits à point. Hier, Huguette avait fait une tarte aux myrtilles... Que c'est bon !

L'après-midi, parce que c'est dimanche, nous ne nous couchons pas. Nous allons chez Martial. Nous nous amusons entre cousins à colin-maillard, chat perché, etc.

Un dimanche comme les autres, tout simple... Mais si rayonnant d'allégresse...

TUER LE COCHON

Huguette sort de l'écurie des cochons, où elle vient de leur donner leur pâtée. Sa grosse marmite ventrue est vide, elle referme la porte derrière elle.

Après avoir été la rincer sous le robinet du bassin, elle entre à la cuisine, l'air inquiet.

– Papa, il y a un cochon qui n'a pas l'air normal.

– Ah bon ! Lequel ?

– Le plus gros. Il est couché dans un coin. Il ne s'est même pas levé pour venir manger.

– Il y a longtemps qu'il est couché ?

– Je ne sais pas.

– Tu as essayé de le faire lever ?

– Bien sûr ! Mais il ne veut pas ; on dirait qu'il ne *peut* pas.

– Ah ! C'est bizarre !

Et Papa, accompagné d'Huguette, s'en va voir le cochon.

– Allez ! Hue ! Lève-toi !

Le cochon le regarde, grogne, mais ne se lève pas. Papa le pousse du pied.

– Eh ! Qu'est-ce que tu as ? Allez ! Lève-toi !

– Groin... groin... groin...

C'est toute la réponse qu'il obtient. Rien à faire pour décider le cochon à bouger. Papa tâte ses oreilles... Non, elles ne sont pas chaudes ; il n'a pas de fièvre, ce n'est donc pas une maladie. Alors, il l'inspecte, mais ne décèle rien d'anormal pour le moment. Peut-être est-il fatigué ? ou a-t-il mangé quelque chose de mauvais (mais quoi ?), ou encore – supposition plus vraisemblable – s'est-il fait une fracture en se chipotant avec son congénère, ce qui arrive assez fréquemment. Papa reste perplexe. En tout cas, ce ne serait pas le moment qu'il crève : il serait irrécupérable ; or, il pèse au moins cent kilos. Aussi recommande-t-il à Huguette :

– Surveille-le bien ! S'il est cassé – et je pense que ce doit être ça –, il n'y aura qu'une solution, c'est de le tuer avant que la fièvre le prenne.

– Et tu le tuerais où ? Ici ?

– Ben oui ! Où veux-tu donc ?

– Et s'il est cassé, l'os ne peut pas se ressouder ?

– Non, il est trop lourd pour ça.

Sans prendre garde à nous – Solange, Jeannine et moi, venues aux nouvelles –, ils sortent de l'écurie, l'air préoccupés.

– C'est sûrement une fracture ; autrement, il aurait la fièvre.

À notre tour, nous allons voir ce qui se passe par la petite lucarne de la porte. En effet, le plus gros de nos deux cochons reste couché. Mais si Papa et Huguette s'inquiètent – Papa de perdre une source de nourriture appréciable ; Huguette, du travail supplémentaire qu'il y aura s'il faut tuer le cochon ici –, pour nous, son incapacité à se lever est une aubaine : nous n'aurons pas à le sortir en champ tout à l'heure, et nous ne pensons qu'à cet avantage.

Après avoir admiré sa tranquillité, nous revenons dans la cuisine.

– Dis, Papa, il est malade, le cochon ?

– C'est bien possible.

– Alors, tu vas le tuer ?

– Peut-être.

– On pourra regarder ?

– Si vous voulez.

Il faut dire que déjà nous imaginons une fête : pour nous, qui sommes curieuses comme des *rates* (des souris), toute nouveauté est passionnante.

Tout au long de la journée, nous suivons la situation avec grand intérêt. À plusieurs reprises, le cochon reçoit notre visite. Le soir, il est toujours à la même place, lamentablement étalé dans ses excréments.

Papa aussi va le voir. En le tâtant, il sent nettement à son épaule une excroissance insolite qui n'existait pas ce matin.

Comme pour confirmer le diagnostic, un gros hématome s'est formé sous la peau rose. Il n'y a plus de doute : il s'agit bien d'une fracture. À tout prendre, c'est préférable à une maladie, quelle qu'elle soit : elle aurait rendu la viande impropre à la consommation. Mais il n'y a donc plus rien d'autre à faire que le tuer – et vite, avant qu'il n'attrape la fièvre : le cochon est un animal très fragile. Nous pouvons attendre jusqu'à demain, mais pas davantage.

– Huguette, tu descendras aux Plancerts demander à M. Jean s'il peut venir nous aider. Et tu iras chez Jérôme qui est encore aux Plans en ce moment pour faire les foins : s'il pouvait lui aussi nous donner un coup de main...

– D'accord. Mais vous ne pourrez pas le tuer dans l'écurie ?

– Non, bien sûr ! Il faudra que nous le portions jusque derrière la maison ; c'est pour ça que nous ne serons pas trop de trois.

*
**

La nuit a passé ; nous sommes tout au début de l'après-midi. M. Jean (notre voisin et notre ami) et Jérôme, fidèles comme toujours, sont là. Ils n'ont pas failli à la règle de l'entraide, qui est de tradition chez les montagnards.

Papa et Huguette ont tout préparé. Derrière la maison, un piquet a été planté pour attacher le cochon : on ne sait jamais, malgré son handicap, il pourrait vouloir se sauver. À côté, une grosse massue attend l'arrivée du condamné, et on a apporté aussi la *maie*, sorte de grand bassin en planches muni de poignées à chaque bout : une fois tué, le cochon y sera couché pour être ébouillanté puis pelé. Une table spéciale, où on le déposera ensuite, a été sortie sous l'auvent du toit de la maison. Toutes les plus grosses marmites sont sur le fourneau, remplies d'eau bouillante. Un dernier affûtage sur le fusil, pour repasser le fil du grand couteau qui servira à égorger l'animal.

Captivées par ces préparatifs, nous n'en perdons pas une miette. Seulement, nous regardons de loin : ce n'est pas le moment d'être encombrantes.

Lorsque tout le matériel nécessaire est en place, Papa, M. Jean et Jérôme passent à l'action. Ils entrent dans l'écurie. En le basculant, ils font rouler le cochon sur une grande toile de sac, épaisse et solide. À tous les trois, péniblement, ils soulèvent la toile lestée de son lourd fardeau. Notre goret grogne et gémit, essaie de se débattre ; mais très vite, vaincu, il se laisse emporter sans trop de protestations, trouvant peut-être ce mode de locomotion somme toute assez confortable. Franchir la porte s'avère difficile, mais bientôt l'équipe se dirige vers l'arrière de la maison, où Messire Porc est déposé le plus délicatement possible. Point n'est besoin de le brutaliser ni de le faire souffrir inutilement. Se croyant conduit en champ, il attrape une bouchée d'herbe. Papa l'attache solidement au piquet à l'aide d'une corde.

Solange, Jeannine et moi avons suivi cette procession, et nous nous asseyons sagement sur un petit tertre, pas très loin : nous serons aux premières loges pour assister au spectacle, ravies de cette diversion inopinée.

Édith et Huguette, moins chanceuses, sont réquisitionnées pour aider. Bernard, Chantal et Marinette, que l'on estime trop jeunes et susceptibles d'être impressionnés, sont couchés.

Alors, tandis que M. Jean et Jérôme surveillent de près les réactions possibles de la victime, Papa prend la grosse massue, et, d'une détente formidable, en assène un coup magistral sur la tête du cochon... qui se met à hurler d'une façon déchirante : grui... i... grui... i... i... grui... i... i..., et si fort (on ne l'en aurait jamais cru capable) que, complètement affolées, éperdues, nous prenons nos jambes à notre cou et nous déguerpissons à toute vitesse, sans demander notre reste. Nous ne saurons jamais la suite – du moins, directement –, car nous nous retrouvons dans la maison, les mains couvrant encore nos oreilles, et nous montons quatre à quatre dans notre chambre, seul refuge jugé suffisamment sûr, saisies d'une panique incontrôlable – pire que si nous avions entendu le cri du diable lui-même (bien que nous n'en ayons pas encore vraiment l'expérience !)

Nous avons su par la suite qu'à voir notre galopade effrénée, Papa, M. Jean et Jérôme s'étaient écroulés de rire, tandis que le cochon, lui, s'écroulait comme foudroyé, ce qui permit ensuite de le saigner tranquillement.

Au bout d'un petit moment, le temps pour notre cœur de se remettre à battre à l'endroit, notre curiosité reprend le dessus – et puis, il est quand même bête de rater une si belle occasion ! Le silence est retombé, alors nous quittons la chambre et retournons jeter un coup d'œil dehors, histoire de voir où en sont les choses.

Nous sommes accueillies par des rires.

– Tiens ! Vous revoilà, vous trois ?

Un peu penaudes, nous nous gardons de répondre à cette interpellation moqueuse, mais bien méritée.

Pendant notre absence, Papa et ses aides ont allongé le cochon mort dans la maie, pour faciliter son transport et l'ont ramené devant la maison. Il ne bouge plus..., il ne crie plus. Ils lui ont versé dessus toutes les bassines d'eau bouillante, et, après l'avoir bien fait macérer dans cette eau, aucune partie n'étant oubliée, ils l'en ont retiré, l'ont posé sur la table, et ils le pèlent consciencieusement ; les soies du cochon s'en vont, semble-t-il, assez facilement. Ils raclent la couenne jusqu'à ce qu'elle soit nette et rose, sans plus un poil.

Édith remplit d'eau froide les bassines et les remet sur le feu à chauffer (il faudra beaucoup d'eau chaude encore) ; Huguette brasse à pleines mains le sang fumant – pouah ! – où elle avait mis préalablement du vinaigre pour empêcher le sang de coaguler. Elle y ajoutera sel, poivre, herbes, du jus d'oignons et de poireaux frits dans de la graisse fraîche, un bol de crème épaisse, etc. Quand les boyaux auront été bien lavés, elle les remplira de cette préparation à l'aide d'un entonnoir, et les fera précuire dans un bain d'eau chaude, le temps qu'ils durcissent. Précaution à prendre pour éviter qu'ils éclatent : avec une aiguille, percer deux ou trois petits trous dans le boyau une fois rempli, afin que l'air encore prisonnier puisse s'échapper. Huguette obtiendra ainsi un boudin savoureux dont nous nous régalerons.

L'épilation est terminée. Papa, M. Jean et Jérôme attachent le cochon par ses deux pattes arrière, et le suspendent tête en bas après une grosse poutre sous le toit. Il est à bonne hauteur et on peut commodément lui ouvrir le ventre, enlever au fur et à mesure ses boyaux, qui sont récupérés dans un seau, ses poumons, son foie, son cœur, qui sont placés dans un grand plat sur la table.

Maintenant, le cochon est vidé et nettoyé de tout son intérieur. Les maîtres de cérémonie prennent une scie de boucher aux dents très fines et le partagent en deux, par le milieu de la colonne vertébrale, de la queue jusqu'au bout du museau. Alors ils détachent une moitié de l'animal, la déposent sur la table, et, chacun par un bout, commencent à le découper en morceaux. Ils enlèvent le jambon (patte arrière), l'épaule (patte avant), coupent la tête, séparent la panne de lard des côtes, mettent de côté l'échine, etc.

Dans un cochon, tout est comestible : du museau à la queue, des oreilles aux pieds, en passant par les boyaux, rien ne se perd !

Nous sommes toujours à observer attentivement, mais voilà que :

– Eh, vous trois ! Vous n'avez rien d'autre à faire que nous regarder ? Alors, il faudrait que vous commenciez à vider les boyaux et à les laver sous l'eau du bassin, ça nous avancerait !

– Hein !

– Ben oui, nous avons encore beaucoup à faire, alors, rendez-vous utiles !

Huguette et Édith, occupées à mouliner le lard, sont prises de fou rire tandis que Papa nous montre comment nous y prendre pour vider les boyaux. Beurck... beurck... beurck... Ça pue, c'est dégoûtant, ça nous glisse entre les doigts, ça nous échappe, c'est tout gluant..., ça nous donne des haut-le-cœur.

– Papa, j'ai envie de vomir, je peux arrêter ?

C'est Jérôme qui me répond :

– Si tu as envie de vomir, serre les dents, ça passera.

Et il part d'un grand éclat de rire. Je lui lance un regard noir...

Cependant, l'effet de la moquerie est instantané ; la nausée a disparu. De toute façon, je ne serai pas exemptée. Alors, à quoi bon ? Autant se retenir.

Nous nous attelons donc toutes les trois à cette tâche, qui nous semble la plus ingrate. Sans compter que l'eau est glaciale !

– Si j'avais su, je serais allée me coucher !

– Ouais, Bernard, Chantal et Marinette, ils ont bien de la chance !

Nous ne sommes pas contentes du tout. Nous nous regardons ; et devant nos mines renfrognées et écœurées, et l'air dégoûté avec lequel nous manions ces boyaux – du bout des doigts –, vaincues et amusées, nous nous mettons à rire nous aussi et notre colère fond.

Tout le monde s'affaire : vider, dépecer, mouliner... On ne voit pas filer le temps. Quel travail ! Mais chacun y met du sien, et à quatre heures, grâce à nos efforts conjugués, notre pauvre cochon est presque entièrement réduit en pièces détachées ou en marmelade (chair à saucisses). Donc : arrêt-buffet un moment. Tous au goûter !

Huguette enlève la viande, Édith nettoie la table, Solange sort les bols, Papa, M. Jean et Jérôme se lavent les mains et essuient les couteaux, Jeannine met chauffer le café, Bernard va chercher le pain, Chantal le beurre, Marinette la confiture, moi la tomme à la cave... Et ouf ! enfin assis ; que ça fait du bien de s'arrêter !

Mais le répit ne dure pas. Tout de suite après le goûter, c'est la traite, puis le départ en champ aux moutons (Jeannine, Bernard et moi) ou en champ aux vaches (Édith, Solange et Chantal). Exceptionnellement, Papa reste à la maison et ne s'occupe pas des vaches, car ici le travail n'est pas encore fini : nous sommes vers la fin de l'été, mais il fait encore chaud et il y a encore des mouches. Il ne faut pas laisser traîner la viande : les mouches y pondraient vite leurs œufs ; et se pose le problème de la conservation.

Tous les morceaux à garder tels quels (jambons, épaules, pannes de lard, côtes, etc.) sont mis au sel à la cave dans ce que nous avons pu trouver comme récipients suffisamment grands. Puis ces récipients sont recouverts d'une toile extrêmement fine, laissant passer l'air, mais pas les mouches. Au bout de trois semaines, on suspendra la viande quelques jours pour qu'elle s'égoutte avant d'être mise à fumer, ce qui en assurera la parfaite conservation.

N'ayant pas de fumoir nous-mêmes, nous la descendrons chez M. Jean aux Plancerts, et nous la suspendrons dans la grande *borne* (cheminée). Durant une dizaine de jours à peu près, c'est lui qui s'emploiera à maintenir par en dessous un feu de genièvre vert. Pourquoi du genièvre vert ? Parce qu'en brûlant, il ne fait pas de flamme, mais se consume en dégageant beaucoup de fumée – et une fumée très odorante.

Quant aux boyaux, il faut finir de les dégraisser et de les laver. C'est Papa qui s'en charge. Pour bien nettoyer l'intérieur, il les enfile délicatement sur un long bâton et les retourne ensuite comme un gant. Les intestins grêles serviront pour le boudin, les gros intestins, pour les saucissons. Le péritoine, fine toile de dentelle entourant une partie de la panse, sera utilisé pour la confection des atriaux, mélange mouliné de foie, cœur, poumon, rognon, herbes... L'estomac sera réduit en tripes. Pendant ce temps, M. Jean et Jérôme continuent de préparer lard et viande en chair à saucisses. Huguette prépare la tête, les pieds, la queue, qu'elle fera cuire demain dans un court-bouillon durant plusieurs heures pour en récupérer la viande et en faire une excellente gelée.

Les boyaux bien lavés sont passés dans du vinaigre chaud (ce qui les aseptise) et Papa, M. Jean et Jérôme s'attaquent à la fabrication des saucisses, qu'ils se réservent parce que c'est un art très difficile. Pour une bonne réussite, il faut serrer la viande au maximum à l'intérieur du boyau, sans laisser de bulle d'air ni pour autant faire éclater le boyau. Toute la soirée, ils travaillent d'arrache-pied. Lorsque nous revenons d'en champ, des chapelets de saucisses toutes roses sont suspendus à une grande barre de bois, dans la grange. Elles resteront là à sécher, ne risquant plus rien des mouches, et ensuite seront portées à fumer dans la borne de M. Jean.

Il est neuf heures du soir. Tout est déblayé, lavé, remis en place, nettoyé. Seule règne encore dans la maison cette forte odeur de viande fraîche un peu écœurante. M. Jean et Jérôme font alors mine de s'apprêter à partir.

– Bon, eh bien, on va y aller. Bonsoir, Maurice. À un autre coup !

– Comment ! Mais vous n'allez pas partir comme ça ! Sans même avoir soupé ! Vous avez bien encore un moment !

– Oh ! Ce n'est pas qu'on soit pressé ! Mais... on a fini de travailler !

– Justement... Asseyez-vous voir un peu. Ça ne vous fera pas de mal.

– C'est qu'on ne voudrait pas déranger...

– Vous savez bien que vous ne dérangez jamais ! Qu'est-ce que c'est que ces histoires ? On va boire un petit coup de gnole. On l'a bien mérité !

– Oh ! C'est pas de refus ! Ça fera passer l'odeur.

Et tandis que Papa sort la bouteille et trois petits verres, ils raccrochent leur veste au portemanteau. Huguette prépare le souper, et nous, la table et le couvert.

M. Jean et Jérôme, tout en sirotant leur gnole avec Papa, commentent la journée :

– Ah bien, on est contents pour toi ! Une bonne chose de faite.

– Oui, et je vous remercie bien d'être venus nous aider : on ne serait pas près d'avoir fini, sans vous !

– Oh, tu sais, ce n'est rien ! Une autre fois, c'est toi qui nous aideras !

– J'y compte bien. Et surtout, si vous avez besoin, n'hésitez pas à me demander.

– Mais bien sûr que oui ! Tu sais bien qu'on n'hésitera pas. Quand même, il était beau, ton cochon, ç'aurait été dommage de le perdre !

Et ils continuent de discuter tranquillement tout au long du repas. Nous, les enfants, nous écoutons, mais nous ne nous mêlons pas à la conversation. Nous chahutons entre nous, nous remémorant, déjà, cet après-midi fertile en émotions variées, mimant avec tant de conviction notre peur et notre dégoût que le fou rire nous prend irrésistiblement.

– Solange, Jeannine, Michelle, il ne faudra pas oublier de sortir l'autre cochon, demain. Il n'a pas quitté l'écurie aujourd'hui, il aura d'autant plus besoin de se dégourdir les pattes.

– Hein ! Il n'y a plus que lui qui reste et on doit le sortir quand même !

– Bien sûr ! Il faut bien qu'il continue à vivre, lui !

– Oooooh !... Dire qu'on croyait avoir la paix !

Nous piquons du nez dans nos assiettes, et c'est au tour des grands d'éclater de rire. Décidément, grands et petits, nous ne verrons jamais les choses sous le même angle. Mais ce n'est pas grave, puisque, au bout du compte, tout se termine dans une gaieté partagée.

1953

LES DEVOIRS DE VACANCES

Ah ! ces devoirs de vacances ! S'ils n'existaient pas, comme nous aurions la vie facile, quelle délivrance ce serait !

À la fin de l'année scolaire, la maîtresse nous a remis à chacun un petit cahier pour que nous puissions travailler pendant l'été. Comme si nous n'avions pas assez à faire ! Mais il ne faut pas que nous perdions une miette de notre savoir. Elle corrigera à la rentrée, et verra ainsi notre niveau. (Moi, j'ai des doutes quant au contrôle de ces devoirs !)

Bref, ce cahier, à mon avis, ne sert qu'à nous empoisonner l'existence. Imaginez-vous ce que c'est que faire des devoirs *d'école* lorsqu'on est *en vacances* ? (Ou du moins quand on est supposé l'être, parce que le mot « vacances » signifie pour nous Combettes, moutons, travaux de toutes sortes.)

Eh bien ! nous n'apprécions pas du tout cette charge supplémentaire. Non pas que nous soyons plus bêtes, ou plus paresseux que les autres – non. Seulement, cela nous demande parfois beaucoup de temps et de réflexion, et ici nous sommes tellement occupés ! Nous avons la tête remplie de tant d'autres choses ! Il faut rogner sur le temps si rare des jeux – sur celui de la sieste de l'après-midi, aussi, remarquez ; et là, ça ne nous gêne pas trop, car nous n'apprécions pas toujours à sa juste valeur cette sieste obligatoire – indispensable, paraît-il.

Ce qui est terrible, c'est que l'emploi du temps est réglé comme papier à musique. Aucune échappatoire. À chaque jour sa page de devoirs : lundi, mardi, mercredi, avec leur nom écrit noir sur blanc. Jeudi : pas de devoirs, pause comme pendant l'année scolaire. Vendredi, samedi : on reprend. Dimanche : repos. Ouf ! la semaine est finie. Mais lundi... on recommence !

Quand le devoir est facile, tout va bien, il est vite expédié. On peut même prendre de l'avance, pour avoir la paix ensuite. Mais parfois... une après-midi entière pour trouver la solution d'un problème ! Si à quatre heures, au moment du goûter et de reprendre le travail auprès des bêtes, nous n'avons pas fini, nous nous retrouvons le lendemain assis à la même place, devant le même problème, espérant que la nuit nous aura porté conseil.

Vous vous dites peut-être : mais ils ne savent pas ce qui est juste, ce qui est faux, puisque la maîtresse ne corrige qu'à l'automne ? Eh bien ! détrompez-vous ! Si la maîtresse est loin, Huguette est à nos côtés, et, armée du cahier de corrigés, elle ne se trompe pas.

Oui, une tâche de plus à l'actif de Huguette : elle veille sur notre travail scolaire – comme sur tout le reste – avec cœur et compétence, malgré sa fatigue et son désir d'un peu de repos. Elle est là, toujours présente, toujours sollicitée : dans notre petite équipe, penchée sur ses cahiers, il s'en trouve régulièrement un ou deux qui ont des difficultés et ne comprennent pas.

Aujourd'hui, c'est Chantal, en panne sur une question de sciences naturelles : elle doit inscrire dans deux colonnes les noms des poissons d'eau de mer et ceux des poissons d'eau douce. Mystère total. Pour elle, comme pour nous d'ailleurs, il n'existe qu'un poisson : il est tout petit, dans une boîte en fer, il baigne dans de l'huile, et il s'appelle sardine – et encore il n'a pas de tête ! Il y a bien aussi le thon, mais comment est-il fait, celui-là ? Nous n'en savons rien : quand il arrive sur notre table, il est toujours en miettes.

Sont-ils poissons d'eau douce ou poissons d'eau de mer ? Quelle importance ? Et d'abord, quelle différence entre l'eau douce et l'eau de mer ? Salée, pas salée, l'eau n'est-elle pas toujours de l'eau ? Et qu'est-ce que la mer ? Nous ne l'avons jamais vue. Il paraît qu'elle est immense. Comment l'imaginer ? Pour nous, il y a les lacs du Prarion, et ces lacs sont à notre mesure. Nous pouvons en faire le tour. Ils nous suffisent. Mais la mer ! La mer ? Connais pas. Ni elle, ni surtout les poissons qui l'habitent.

L'eau douce, une eau de rivière ? Nous, nous ne connaissons que les ruisseaux. Ceux qui descendent tout droit des glaciers et vont en cascadant jusque dans la plaine. Leur eau est limpide, si bonne à boire, si pure, si désaltérante. Mais nous n'y avons jamais vu de poissons. Dans nos petits lacs, on voit bien nager des ombres, mais ce sont des salamandres. Les salamandres, ce ne sont pas des poissons ? On ne les mange pas ?

Pauvre Chantal ! Elle est toute jeune ; Huguette a beau essayer de lui expliquer, elle ne comprend pas. Et quand Huguette, croyant l'aider, pose sur la table, devant elle, une boîte de thon et une boîte de sardines, elle reste les yeux ronds... Quel rapport entre ces boîtes en fer et les noms de poissons qu'elle doit trouver ?

*
**

Deux jours de suite sur ces poissons ! Et Chantal piétine toujours, sans trouver de solution. Huguette, exaspérée, perd patience et la gifle. Pourtant, elle n'est pas méchante ! Papa arrête le conflit en envoyant Huguette se reposer et en faisant tout simplement tourner la page à Chantal : qu'elle sache ou ne sache pas le nom de ces poissons ne changera pas grand-chose à sa vie !

Nos problèmes, à nous les grands, me paraissent tout aussi vains. Par exemple : un bassin se remplit de tant de litres à la minute ; mais il est percé, et perd x litres à la minute. Au bout de combien de temps sera-t-il plein ?

C'est vraiment chercher midi à quatorze heures ! Il n'y a qu'à reboucher la fuite. Ou faire comme nous, aux Combettes : dans les bassins, l'eau coule en permanence. Quand les vaches viennent boire, elles les vident presque entièrement (cela équivaut bien à une fuite !). Mais qu'importe le temps qu'il faut pour qu'ils soient pleins à nouveau ? Les bassins se remplissent, et puis c'est tout. Rester à côté pour mesurer le temps ? Vous ne croyez pas qu'il y a mieux à faire ?

Ah ! ces grandes personnes ! Comme elles aiment à compliquer la vie des enfants ! Parce qu'elles croient tout savoir, elles voudraient qu'ils sachent tout, eux aussi. Mais laissez-nous grandir. Il y a un âge pour apprendre, et un autre pour savoir (en continuant d'apprendre, d'ailleurs, car on n'a jamais fini). Serions-nous plus sages que les grands, nous, les enfants, qui, connaissant nos limites, les acceptons sans nous en offusquer ? Je ne veux pas dire qu'il ne faut pas apprendre... Mais chaque chose en son temps. Et l'été est celui des vacances, ou du moins devrait l'être pour les enfants : une halte pour que le savoir emmagasiné se range et fasse de la place aux connaissances à venir, un repos des petites cellules grises pour qu'elles soient fraîches et disposes à l'automne. Mais qui nous écoute ?

L'orthographe, par exemple ! Ah ! l'orthographe, la sacro-sainte orthographe ! Quelle invention ! Comme ils ont de la chance, ceux pour qui elle est innée ! Mais pour moi, orthographe égale casse-tête chinois, égale zéro, égale : recommence ! Ah la la ! Si les mots pouvaient s'écrire tout simplement, comme ils se prononcent. D'accord, il est nécessaire de la respecter – un peu ! Mais de là à exiger du sans-fautes ! Toutes ces heures passées à corriger, à recopier autant de fois qu'il y a de fautes... Jusqu'à quinze ou vingt dans une petite dictée. « Petite », vraiment ? J'ai beau pleurer de rage et de désespoir, il faut recommencer. Ça ne sert pas à grand-chose, d'ailleurs : ma page reste à peu près pareillement zébrée de rouge. Je crois bien le mal irrémédiable. Il y a de quoi perdre le moral. Ce n'est pas pour rien que nous chantons :

Vivent les vacances
Plus de pénitence
Les cahiers au feu
Et la maîtresse au milieu.

La maîtresse, nous voulons bien l'épargner, nous ne sommes pas des sauvages, et nous l'aimons bien malgré tout. Mais les cahiers de vacances ! Ah ! si nous pouvions les mettre au feu !

LA NEIGE

« Mais... Qu'ont donc ces vaches à faire tant de bruit ce matin ? Qu'ont-elles à bramer ainsi ? Pourquoi ne sont-elles pas dehors ? »

Dérangée dans mon sommeil par un tel vacarme, j'ouvre un œil, puis deux...

« Comment ! Il fait grand jour et les vaches sont encore à l'écurie ? Mais quelle heure peut-il être ? Et en bas, dans la cuisine, ce bruit, c'est bien Huguette qui fabrique le beurre ? Que faisons-nous donc, toutes les trois, encore couchées ? On ne nous a pas réveillées pour aller en champ aux moutons ? Quelqu'un y serait-il allé à notre place ? Pourtant, on les entend eux aussi, ils bêlent ! Bizarre... Et puis, c'est Papa, qui parle avec Huguette et Édith ! Alors, tout le monde est encore à la maison, les gens et les bêtes ? Que se passe-t-il donc ? »

Intriguée au plus haut point, ne trouvant aucune explication logique à ce bouleversement dans les habitudes de la maison, je décide de me lever et d'aller voir. D'ailleurs, chose étrange, je me sens bien reposée, bien réveillée, comme lorsque je fais la grasse matinée. Je secoue au passage Jeannine et Solange, qui dorment encore.

– Eh ! réveillez-vous, il fait grand jour, les vaches ne sont pas en champ, les moutons non plus, Huguette fait déjà le beurre ; il est sûrement tard, et tout le monde est encore ici... Allez ! réveillez-vous ! Allons voir ce qui se passe.

Elles se retournent en bougonnant :

– Tu peux pas nous laisser dormir, non ? Pour une fois que tu es réveillée !

En effet, « pour une fois », me voici levée la première. Je fais un saut à la fenêtre, histoire de voir le temps, et... ô merveille ! un cri de joie sort de ma gorge.

– La neige ! C'est plein de neige... venez voir... vite !

D'un bond, elles sont debout et nous nous retrouvons tout à coup coincées toutes les trois dans l'embrasure de la fenêtre.

– Youpi... hourra... ouais... C'est la neige, c'est tout blanc... Formidable ! Vive la neige ! You hou !

En un tournemain, nous sommes habillées. Nous sortons de la chambre comme des ouragans et débaroulons l'escalier ; en bas, la cuisine, d'habitude si sombre, est remplie de lumière. Un coup d'œil au réveil, en passant, nous apprend qu'il est plus de dix heures.

– Papa, tu as vu la neige ? C'est tout blanc, c'est plein de neige, youpi ! Regarde ! Tu as vu ? C'est pour ça que tu n'as pas sorti les vaches et qu'elles rouspètent ?

Nous parlons toutes les trois à la fois, comme s'il était possible qu'il n'ait pas vu ! qu'il ne sache pas !

Amusé par notre étonnement et notre joie, il rit tout en nous embrassant pour nous dire bonjour. Puis il reprend son sérieux, et sa contrariété ressort. C'est d'un air grognon qu'il commente :

– Eh oui, la neige... Ça, qu'est malin ! Et qu'est-ce que je vais donner à manger aux vaches, moi, si ça continue plusieurs jours comme ça ?

Il n'a vraiment pas l'air ravi de cet événement pour le moins intempestif : car nous sommes en été – le calendrier le dit ! À la jonction des mois de juillet et d'août. On sentait bien, depuis quelques jours, que le temps changeait, qu'il fraîchissait... Mais de là à voir la neige jusqu'ici, aux Combettes, à 1 560 mètres d'altitude ! Eh bien, pourtant, ce matin, elle est là ! Un beau tapis immaculé et d'une épaisseur de vingt à trente centimères au moins. Évidemment, nous trouvons cela merveilleux, mais Papa..., que va-t-il donner à manger à ses vaches ? Il y a bien un peu de foin à la grange, mais la réserve sera vite épuisée... Dix-huit vaches, ça mange ! En plus, le ciel reste chargé, le mauvais temps semble bien installé.

Pour Papa, l'inquiétude du chef responsable de la maisonnée ; pour nous, joie sans limite de goûter à l'hiver en plein cœur de l'été...

Huguette nous débarrasse un coin de table pour le déjeuner. Et Papa de reprendre :

– Dépêchez-vous, maintenant que vous êtes levées. Il va falloir aller en champ aux moutons quand même.

– Hein ! Tu veux qu'on aille en champ aux moutons ? Mais... On peut pas monter au Prarion ! Il doit y avoir encore plus de neige, là-haut ! Ils ne pourront rien manger ! Ils auront froid aux pattes, ces pauvres moutons !

Papa n'est pas dupe de nos bons sentiments :

– Ils auront froid, mais ils ont faim. Et de bouger, ça les réchauffera. Bien sûr, vous ne les monterez pas au Prarion. Il faudra les mettre où la neige est moins épaisse, sous les sapins dans la côte – ou peut-être les descendre jusqu'au fond des Marillières, là où les vaches ont déjà mangé. J'ai été voir, il n'y a presque pas de neige, là-bas.

Quelle déception ! Mais pas question de discuter, bien entendu. Il est vrai que les moutons peuvent se contenter du peu d'herbe qu'ils sauront attraper. Et puis, *mieux vaut tenir que courir*. Il est préférable qu'on les fasse manger aujourd'hui : si demain il y avait plus de neige encore – et qui peut savoir, avec le temps ? –, il deviendrait tout à fait impossible de les conduire en champ.

– Vous irez deux par deux. Si vous les sortez de dix heures et demie à quatre ou cinq heures de l'après-midi, sans interruption, ils auront assez pour aujourd'hui. Vous vous remplacerez pour venir manger à midi.

– Oh, zut !

Nous ne trouvons rien d'autre à dire. C'est vraiment la consternation... Mais, après tout..., la moitié de la journée chacun ? Donc la moitié pour jouer ! Et aussitôt notre joie revient. Et puis, même en champ, on pourra s'amuser quand même ! Ce n'est pas interdit !

– Qui est-ce qui commence ?

– Jeannine et Michelle ? Puis Édith et Solange ? Bernard et Chantal, s'ils veulent, un moment, avec l'un ou l'autre groupe. Marinette restera bien au chaud.

On s'organise.

– Huguette, tu as des pantalons à nous prêter ?

– Peut-être, je vais voir.

Des pantalons ? On ne doute de rien, nous, « les petites » ! C'est qu'on n'en a pas de trop, ici. Mais en cherchant bien, elle dégote, au fond de l'armoire, deux vieux pantalons golf des garçons. Ils feront l'affaire pour les deux premières à partir en champ. Les autres, si elles en veulent aussi, mettront ceux à traire. Pas besoin de plus pour jouer un moment dehors.

Aussitôt, pour nous, tout redevient drôle. Il est très rare que nous portions des pantalons. En plus, ceux-ci nous paraissent bien amusants avec leurs jambes « bouffantes ». Nous sommes prises de fou rire en les enfilant par-dessus nos grosses chaussettes de laine reprisées. Ils sont trop larges, mais, une ficelle en guise de ceinture, et ça va bien comme ça ! Un gilet, un manteau, une écharpe, un bonnet, de vieux gants à moitié troués : nous voilà fin prêtes, harnachées de pied en cap. Du coup, c'est à peine si nous ne regrettons pas de ne pas partir toutes à la fois. Nous enfilons nos bottes, et nous sortons.

Nos yeux clignotent, éblouis par tant de blancheur. Un petit coin de ciel bleu apparaît entre les nuages, laissant passer un rayon de soleil.

Soudain, l'effet est magique, enchanteur : tout s'illumine. La neige scintille en minuscules paillettes d'or ou d'argent, comme autant de petites étoiles tombées du ciel. Que c'est joli, magnifique ! Nos pas restent imprimés dans cette couche vierge.

Alors, nous n'y résistons pas et nous nous couchons de tout notre long, bras et jambes écartés, pour imprimer aussi la forme de notre corps.

Mais les moutons attendent ; ils bêlent à fendre l'âme. Comme nous approchons du parc, ils nous regardent avec des yeux pleins d'incompréhension. Certains se secouent, d'autres attendent, résignés, qu'on veuille bien les délivrer.

– Eh, les moutons ! vous avez vu ? C'est de la neige.

Pas très intéressés par nos discours, ils bêlent avec conviction.

– Oui, oui, on arrive. Oh ! la la ! Ce que vous êtes pressés !

Il est vrai qu'ils ont sûrement faim. Si notre estomac est bien rempli, le leur ne l'est pas. Nous ouvrons le parc. Ils sont tout désorientés et ne savent de quel côté aller. Aussi, Jeannine se met devant pour les guider, moi, derrière pour les pousser, et :

– Tax tax tax, allez, venez... C'est par ici, aujourd'hui.

Au lieu de monter au Prarion, nous descendons aux Marillières. Les laisser ici ne servirait à rien, la neige est trop épaisse. Pour qu'ils puissent manger, ce serait à nous de dégager l'herbe ! Alors là, pas question, qu'ils se débrouillent !

– Tax tax tax...

Étonnés sans doute, mais dociles, ils nous suivent. Ils ont donc tellement confiance en nous ? Mais peut-être simplement n'ont-ils pas le choix ?

Au fond des Marillières, cette autre ferme située à quelques centaines de mètres en dessous des Combettes, un peu d'herbe gelée dépasse, comme des bûchettes, par-ci par-là. Sentant bien qu'il ne faut pas être trop exigeant, les moutons se mettent à gratter et du museau et des pattes. Les voilà tranquillement en train de grignoter cette herbe rase, toute craquante – à vous donner froid au ventre pour eux. Mais nous ne tardons pas à avoir la chair de poule pour notre propre compte.

– Et si nous nous amusions, au lieu de rester plantées là à les regarder, ça nous réchaufferait peut-être ?

On commence à courir. Puis s'ensuit une bonne bataille de boules de neige. Mais c'est encore bien plus drôle de viser les moutons. Ils font de petits sauts tout apeurés, se demandant d'où viennent ces projectiles. Cela ne leur fait pas mal et nous rions de leurs entrechats. Mais bientôt, blasés, ils se remettent à croquer du bout des dents leur pitance toute gelée.

Alors, nous abandonnons le jeu, nous essayons les glissades. Pour une fois que nous avons des pantalons, profitons-en ! Vite fatiguées, nous commençons la construction d'un igloo, pour renoncer aussitôt : vraiment pas assez de neige, ici ; et par contre, beaucoup trop de trous à nos gants !

Tout notre répertoire de jeu épuisé, nous nous mettons à chanter en claudiquant d'un pied sur l'autre pour ne pas geler, ce qui nous fait chevroter comme des aïeules.

Soudain, une nouvelle tempête de neige. Des flocons drus, serrés, gros comme des pattes de chat. Intéressées, nous la regardons bien en face et... tout doucement d'abord, puis de plus en plus vite, jusqu'au vertige, l'impression que nous montons dans le ciel, à la rencontre des flocons qui, indifférents, s'écrasent sur notre visage. Fascinées, nous ne sentons même pas la piqûre de la neige sur nos joues rougies.

– Je m'envole... je m'envole... you-hou !

Il ne faut pas quitter des yeux ces flocons bénis. Bouger les bras comme des ailes. Prolonger l'illusion : m'envoler dans le ciel comme un oiseau, c'est le rêve de toute ma vie. Pourtant mes pieds restent solidement, désespérément rivés au sol. Tant pis, je me contenterai de cette impression fantastique.

Pourtant, au bout d'un moment :

– Neige, que tu es belle, mais pourquoi es-tu si froide ?

La réalité reprend le dessus. Nous sommes dehors depuis plusieurs heures, et transies. C'est avec soulagement que nous voyons arriver nos remplaçantes. Pas besoin de passer les consignes, elles connaissent leur affaire.

Nous nous hâtons jusqu'à la maison. Un bon feu de bois, des vêtements secs et une soupe brûlante nous attendent et ont bientôt raison de notre engourdissement. Que c'est bon de retrouver tant de chaleur ! Nos pieds et nos mains petit à petit se réchauffent et se délient.

Les vaches, quant à elles, n'ont pas mis le nez dehors de la journée. Elles ont néanmoins donné bien du travail à Papa et Huguette. À n'en pas douter, beaucoup plus que pour les conduire en champ : par deux fois, le matin et le soir, il a fallu leur donner à manger et à boire à l'intérieur. Or il n'y a qu'un seul denieu pour passer le foin de la grange à l'écurie, et il n'est ni large ni pratique. (Mais comme il sert si rarement...)

C'est Huguette qui est montée dans la grange. À l'aide d'une fourche, elle a envoyé une grosse provision de foin à Papa, qui, dans l'écurie, l'a distribué : une bonne brassée par tête, à chaque repas, suffit. Il ne faut pas gaspiller ce fourrage poussiéreux mais si précieux. Que d'allées et venues il a répétées, les bras chargés, sans voir où il mettait les pieds.

– Allez... *tourté* (tourne-toi)... Oseille, pousse-toi un peu... laisse-moi passer.

Une fois calmé l'appétit de ces dames, pas question de s'arrêter pour autant. Il faut nettoyer plancher et raie pour qu'elles ne se salissent pas trop, en slalomant entre sabots et panses rebondies. Et déjà les voilà qui brament de nouveau : eh oui ! le foin, ça donne soif ! Impossible de les mener boire au bassin. La blancheur et la luminosité de la neige les rendraient folles. Elles seraient bien capables de se mettre à courir n'importe où, et peut-être, en se bousculant, de passer à travers la carrière, vu que, toute parée de blanc, on ne la reconnaît plus !

Papa n'a donc plus qu'à s'armer d'un seau de fer, et de patience, et à enchaîner les allers-retours du bassin à l'écurie. Pour chaque vache, il faut un, deux, parfois trois seaux ! Mais si on veut qu'elles donnent du lait, il ne faut pas plaindre sa peine. Pourtant Papa dit que, malgré tous ces bons soins, tant que la neige durera, leur production baissera, ce qui n'est pas étonnant, avec ce régime particulier.

Arrive enfin le soir. Les moutons sont rentrés. Les vaches rassasiées, reposées, ruminent en silence. Certaines dorment déjà.

Le travail terminé, le souper nous rassemble autour de la table. Il est beaucoup moins tard que d'habitude, mais grisées, ravies, étourdies de froid, de chaud, de jeux, de fatigue, nous avons hâte de regagner nos lits et de nous endormir, douillettement serrées les unes contre les autres. La neige peut tomber ? Que nous importe ! Nous en avons largement profité aujourd'hui. Maintenant on a sommeil. Demain, on verra bien ! Bonne nuit !

UN PARI RIDICULE

Pour un pari ridicule, c'en fut vraiment un ! Jugez vous-même !

Nous avons aujourd'hui un beau dimanche ensoleillé ; vers trois heures de l'après-midi, nous arrivent aux Combettes deux visiteurs sur leur trente et un : Charles, qui descend du Prarion, et Jérôme, qui monte du Plan, où il fait les foins.

Ils s'arrêtent dehors, en bas de l'écurie, et entament une conversation animée. Papa, Maman (qui est montée) et les grands sont à l'intérieur de la maison, mais nous, les enfants, nous sommes presque tous là à les écouter. Ils semblent ravis de cet auditoire : ils sont aussi beaux parleurs et fanfarons l'un que l'autre. Ils discutent à bâtons rompus, chacun vantant à qui mieux mieux les exploits dont il se dit capable.

Charles a seize ou dix-sept ans, Jérôme entre trente-cinq et quarante ans, ce qui, question roublardise, lui donne une bonne longueur d'avance. Ni l'un ni l'autre ne veulent céder le devant de la scène. Pour finir, à bout d'arguments, Charles lance à Jérôme :

– D'abord, t'es même pas chiche de sauter par-dessus la carrière !

Ce disant, il lui montre la carrière, pleine à ras bord. Sur le dessus, une croûte épaisse s'est formée sous l'action continue du soleil. Pas plus que nous, Jérôme ne s'y laisse prendre : nous savons bien que sous cette croûte trompeuse, le fumier est « tout mou » ; seul Charles semble l'ignorer.

Jérôme se met à rire.

– Dans quel sens veux-tu que je la saute ? en longueur ou en largeur ?

– En longueur, tu ne peux pas à cause du mur, et c'est trop long ; mais en largeur, tu peux ! Rien ne t'empêche. Mais t'es même pas chiche !

– Et à quel endroit veux-tu que je la saute ? au plus large, ou au moins large ?

Il y a en effet une bonne différence entre les deux.

Du côté de l'écurie et de la sortie du courrieu, la carrière mesure à peu près quatre-vingts centimètres de largeur sur trente à quarante de profondeur ; tandis que de l'autre côté, il y a près de cinq mètres cinquante de largeur pour une profondeur qui peut dépasser un mètre cinquante.

– Oh ! Pour toi, au moins large, ce sera suffisant ! répond Charles d'un air moqueur.

– Eh bien ! c'est d'accord. Mais toi, comme tu es plus jeune que moi, où crois-tu que tu es capable de sauter ?

– Vers le milieu. (C'est-à-dire à peu près deux mètres vingt de largeur sur soixante à soixante-dix centimètres de profondeur, la carrière étant en forme de poire et en pente.)

– Écoute, reprend Jérôme, je veux bien sauter au milieu, mais comme tu es le plus jeune, à toi l'honneur !

– Tu dis ça parce que t'es pas capable !

– Si, je suis capable ! Et je te parie même que je saute plus loin que toi !

– Qu'est-ce que tu paries ?

– Cent francs à celui qui saute le plus loin !

Charles, alléché, suppute d'un calcul rapide ses chances de gagner. Il n'est pas du tout conscient des risques. Il table sur sa jeunesse : ce sera facile, il doit gagner à coup sûr ! Jérôme, lui, sort cent francs de sa poche et les montre à Charles pour l'exciter.

– Cet argent est à toi si tu sautes le premier et si tu réussis, dit-il. Moi, je passerai après toi.

Encore naïf, Charles ne voit pas le côté louche de cette proposition. Et il commence à mesurer l'espace qui lui sera nécessaire pour prendre son élan. Jérôme rit sous cape : il sait très bien que ce pari est impossible, à moins d'un réel exploit. Mais il se garde bien de le dire. Il encourage même Charles à prendre un peu plus d'élan pour mener à bien son entreprise. Il se dit à part lui que tant de vantardise vaut bien deux pieds dans le fumier, et que ce n'est pas trop cher payer l'occasion de rire un bon coup et de fermer le clapet à ce blanc-bec !

Nous, nous regardons, muets, les deux antagonistes. Pour notre compte, jamais nous ne tenterions un tel saut, même avec cent francs ou davantage à la clé ! Mais Charles et Jérôme sont des grands. Alors, sans doute eux peuvent-ils faire ce qui nous semble, à nous, impossible ?

Pendant un moment, Charles s'entraîne dans les champs à côté et teste la longueur de ses bonds. Ces essais sur l'herbe le confortent dans son idée : il peut gagner son pari haut-la-main.

Lorsqu'il juge ses repérages suffisants, il se dit prêt à nous épater. Il est sûr de ne pas toucher le fumier et d'avoir une bonne marge de sécurité. Pas de danger qu'il soit éclaboussé. C'est pourquoi lorsque Jérôme lui conseille de quitter chaussures, chaussettes, pantalon et chemise, il refuse obstinément : se mettre en slip devant nous ? Jamais ! Ce serait perdre la face. À la rigueur, il veut bien quitter sa veste, qui le gênerait.

Cette fois, il est fin prêt. Les barrières de protection qui entourent la carrière sont enlevées. Il prend une bonne longueur d'élan et... hop ! le voilà parti.

Nous le regardons... et nos yeux s'écarquillent, car, soudain, devant nous... ce n'est plus Charles tout entier que nous avons, mais... une moitié de Charles seulement ! Il est retombé en plein milieu de la carrière, et hors du fumier ne dépasse plus qu'un buste !

Jérôme est écroulé de rire ! Quant à Charles, vexé au plus haut point, il essaie de gagner le bord opposé, mais... il doit déraper sur ce fond glissant : voilà qu'il perd l'équilibre et qu'il disparaît jusqu'au cou dans ce cloaque. On voit alors émerger deux bras chargés de fumier, qui se mettent à ramer dans l'espoir d'atteindre l'autre rive. Jérôme rit toujours de le voir ainsi se démener ; mais bientôt il cesse net : non seulement Charles n'arrive pas à se tirer seul de ce mauvais pas, mais, dans son excitation, il disparaît à nouveau dans le fumier, enfonçant de plus en plus. Alors, l'inquiétude remplace le rire. Jérôme se précipite devant l'écurie, attrape le racle qu'il tend, généreux, à Charles. Le malheureux s'y agrippe, et il est ramené à bon port.

Vous vous étonnez peut-être qu'un jeune de seize ans n'ait pas réussi à sauter ces deux mètres vingt. Seulement, il faut dire à sa décharge que si franchir cette longueur sur de l'herbe ou en terrain plat est simple, c'est un tout autre exercice de la franchir en sautant par-dessus une carrière dont les abords sont en pente et très glissants. À moins de bien connaître ce qu'il en est, n'importe qui s'y ferait prendre – et là, Charles est vraiment sans expérience. De plus, le fumier « fait le bombé » en son milieu, et c'est sans doute cela qui a fait chuter Charles : n'ayant pas levé les pieds assez haut, il a dû accrocher la croûte du fumier, il a été coupé dans son élan et déséquilibré. Pour ce qui est de vous sortir seul d'une telle posture, n'y comptez pas ! D'abord, vous avez les pieds sur une surface irrégulière et très glissante ; et puis, le fumier étant très épais, ce n'est pas évident de marcher dedans : il a un effet de syphon, vous avez l'impression qu'il vous aspire.

Les vaches elles-mêmes, si, en se bousculant, elles viennent à y tomber, quand ce serait sur le bord seulement, s'en ressortent à grand peine, et pourtant, elles ont beaucoup plus de force que nous. À cause de cela, on met des barrières autour de la carrière pour nous protéger d'éventuelles imprudences. Lorsque Charles est tombé, nous savions bien qu'il ne se débrouillerait jamais sans aide. Quant à son pari de sauter suffisamment haut, loin, fort pour passer par-dessus d'un bord à l'autre – et qui plus est, sans se salir –, nous savions là aussi que c'était impossible, quoiqu'il soit si sûr de lui. Mais nous sommes petits et il ne nous aurait pas écoutés. Jérôme, lui aussi, savait, c'est pourquoi il ne voulait pas sauter le premier !

Voici donc notre Charles, tout penaud et noir de fumier, péniblement remorqué sur le bord par Jérôme. Alors seulement, tout danger étant écarté, nous rions nous aussi de bon cœur en voyant apparaître cet épouvantail à moineaux. Un épouvantail à moineaux ? Oh non ! bien pire que cela ! Car si, de loin, il en a l'allure, l'odeur qu'il dégage les ferait fuir encore plus sûrement !

Nous allons chercher Maman et Huguette pour qu'elles s'occupent de lui. Nous, nous n'osons pas l'approcher. Papa et les aînés sortent aussi. Tout le monde veut assister au spectacle ! Ce n'est peut-être pas très charitable, mais la leçon portera ses fruits.

Et ce n'est plus qu'un éclat de rire général quand ce pauvre Charles, mis entièrement nu dans le bassin, est énergiquement frotté et lavé par Maman et Huguette. Heureusement qu'il y a l'eau à volonté !

Premier temps : il est propre et rose à nouveau. Deuxième temps : on le frictionne à l'aide d'une grande serviette ; il s'agit de le réchauffer et d'activer sa circulation sanguine pour qu'il n'attrape pas mal : l'eau du bassin coule peut-être en abondance, mais elle est très froide. Ensuite, Maman puise dans l'armoire parmi nos propres affaires pour le vêtir correctement. Pour finir, elle lave du mieux qu'elle peut ses habits à lui. Elle en fait un petit paquet ; il les redescendra à sa mère qui les lavera à fond.

Nous avons installé Charles à la cuisine devant un bol de café bouillant. Soit l'humiliation, soit le froid, soit la peur, il claque des dents et tremble de tous ses membres. Quant à Jérôme, lorsqu'il repart chez lui après avoir partagé notre goûter, il rit encore. Rien ne peut l'arrêter.

Nous, les petits, nous avons appris aujourd'hui qu'il ne faut pas toujours écouter les grands : ils n'ont pas forcément raison ; qu'il est très vilain d'être prétentieux ; que l'appât du gain est de mauvais conseil, et que la vantardise est mal payée : les cent francs, bien sûr, Charles ne les a pas eus, et ne les aura pas !

Les plaisanteries les plus courtes étant les meilleures, on ne vit plus jamais un tel exploit aux Combettes.

De même qu'on ne vit plus jamais ensemble Jérôme et Charles. Très longtemps après – plusieurs années –, Charles était encore vexé à ce souvenir (sans parler du contenu du petit baluchon, qui avait dû être jeté, aucun lavage n'ayant pu venir à bout de l'odeur !), tandis que Jérôme piquait un fou rire rien qu'en y repensant !

LA CUEILLETTE DES MYRTILLES

Une petite boule bleue par-ci... une petite boule bleue par-là ! Huguette me réprimande :

– Eh ! Dépêche-toi un peu ! À cette allure, ton seau n'est pas près d'être plein !

– Oh ! zut, hein ! Si tu n'es pas contente, tu n'as qu'à les ramasser toute seule.

– Tu veux que je t'apprenne à répondre comme ça ?

– Ben oui, zut à la fin ! J'en ai marre ! J'ai déjà rempli presque deux seaux !

– Je sais bien. Moi non plus, ça ne m'amuse pas. Mais il en faut encore. On finit de les remplir, on ira goûter après.

– La barbe !

Et je plonge mon peigne avec rage dans une touffe de myrtilles.

Nous sommes à la mi-août. Des myrtilles, des myrtilles... Encore des myrtilles... Toutes ces petites perles... Et à ras de terre ! On n'a pas idée de pousser si bas, si dru... et d'être si petites !

Nous en avons déjà des milliers. Mais que représente un millier ? Quelques kilos, tout au plus. Et chaque été, c'est près de quatre-vingts kilos qu'il nous faut pour notre réserve de confitures familiales. Il est vrai que nous aimons bien la confiture de myrtilles : elle a un petit air de fête, elle met une note de variété dans l'assortiment classique : confitures de pruneaux, prunes, rhubarbe, pommes reinettes, coings, potiron... Et l'hiver, on apprécie toujours de retrouver les fruits de l'été.

Mais... au diable cette cueillette ! Et puis, ce n'est pas juste : tout le monde est d'accord pour se régaler, mais ce sont toujours les mêmes qui ramassent !

Je rouspète, je *moinne*... Huguette se met à rire :

– Si tu voyais ta tête ! Et d'abord, arrête d'en manger, ça ira plus vite.

– Comment sais-tu que j'en mange ?

– Tes moustaches ! Elles te vont jusqu'aux oreilles !

– ... et reu gneu gneu...

Mais allez, trêve de plaisanteries. Nous sommes presque au bout de nos peines. Autant se dépêcher ; après, on n'en parlera plus. Quoique... On croit avoir fini, et il faut toujours recommencer !

La semaine dernière, c'étaient Édith, Solange et Jeannine qui étaient de corvée de myrtilles. Aujourd'hui, c'est notre tour, à Huguette et à moi. Bernard et Chantal en grappillent à la main dans une boîte, tandis que dans le même temps, nous remplissons un seau, au peigne.

Au peigne ? Oui : il existe en effet un peigne destiné à la cueillette des myrtilles. C'est une sorte de caissette sans couvercle, avec un fond constitué d'une grille, et seulement trois parois. À l'avant, du côté ouvert, pointent une quinzaine de « clous » qui piègent les fruits (et malheureusement aussi des feuilles) ; à l'arrière, un manche.

Avec cet ustensile, on « peigne » les myrtilles comme on coiffe des cheveux, mais en sens contraire : pour les cheveux, on va de haut en bas, par en dessus (sauf si on cherche des poux) ; pour les myrtilles, de bas en haut, par en dessous. Les baies se détachent et tombent dans la caissette (myrtilles = poux). Pour éliminer les feuilles qui sont venues avec, on secoue un peu le peigne, et un certain nombre passent à travers la grille (hélas ! pas toutes). Le geste est simple, mais il faut le répéter inlassablement.

Notre score aujourd'hui ? La valeur de deux seaux à traire chacune. Soit combien de kilos, au total ? demandez-vous. Entre trente et quarante, au moins ! Combien de milliers de myrtilles ? Si le cœur vous en dit, vous pouvez les compter ! Quant à moi, les ramasser me suffit. D'autant que l'opération ne se termine pas là ! Eh non ! Croyez-vous que nous allons mettre à cuire toutes ces jolies petites boules bleues avec ces feuilles et autres « saletés » (parfois des chenilles et des araignées) ? Sûrement pas ! Donc, concluez : il faut les trier pour les nettoyer... et toutes vont nous passer une deuxième fois entre les mains. Catastrophe !

Mais l'imagination vient à notre secours. Rien de tel qu'une bourse plate pour développer l'esprit inventif. Une astuce toute simple va nous faciliter grandement la tâche. Voici notre truc : prendre une planche de un mètre sur quarante centimètres. Sur cette planche, fixer deux bâtons partant des deux coins d'un petit côté pour arriver presque au centre du côté opposé, en laissant une dizaine de centimètres entre les deux bouts. Ceci forme comme un entonnoir mis à plat, un V mal fermé.

Poser la planche ainsi préparée sur la table, l'incliner pointe du V en bas et s'ouvrant au-dessus d'une bassine posée sur un tabouret.

Alors, comment procédons-nous ? Verser les myrtilles, petit peu par petit peu, en haut de la planche. Elles roulent dans l'« entonnoir » et atterrissent dans la bassine. Il n'y a plus qu'à enlever les feuilles, qui, plus ou moins mouillées, restent collées en cours de route : on donne un coup d'éponge, ou on souffle pour les faire envoler, ou bien on les enlève simplement avec les doigts. Et... on recommence !

Avec ce système, le nettoyage est assez long et fastidieux, mais beaucoup moins qu'autrement. Et je vous garantis un travail très propre, avec encore un avantage : on ne manipule pas trop les myrtilles, elles ne s'écrasent pas, elles restent bien rondes et ne perdent pas leur jus.

Il faut bien compter pour les nettoyer la moitié du temps mis à les ramasser. Trois heures de cueillette ? Une heure et demie de nettoyage en perspective ! Bou hou hou...

Entre la semaine dernière et aujourd'hui, nous avons nos quatre-vingts kilos. La première récolte a déjà été descendue et cuite. Il faut nettoyer celle d'aujourd'hui, mais si nous nous y mettons à deux ou trois, nous irons assez vite. Demain, Maman va monter. Elle les emportera. Il est en effet plus facile de les descendre crues et de les faire cuire à Beaulieu, que de monter sucre et bocaux pour redescendre ensuite la confiture en pots (qu'il est d'ailleurs préférable de ne pas trop trimbaler).

Pour Maman aussi, c'est un très gros travail. Dès qu'elle arrive à Beaulieu, après avoir rentré son précieux chargement, elle pèse les myrtilles, les répartit dans deux chaudrons, y ajoute le sucre, et les met à cuire : il ne faut pas les faire attendre davantage ; après ce voyage, elles risqueraient de fermenter.

Fernand l'aide dans cette tâche. Tant que dure la cuisson, il faut brasser les fruits sans cesse à l'aide d'une grande pelle de bois, pour que ça n'attache pas au fond. Le démarrage de la chauffe est toujours assez long, et une fois l'ébullition commencée, il faut compter encore une heure de cuisson. Puis, c'est la mise en pots.

Là aussi, il y a tout un rituel. Quand les bocaux sont remplis, Maman les laisse refroidir toute la nuit. Le lendemain, elle découpe pour chaque pot un rond de papier sulfurisé à la taille de son ouverture. Elle trempe ces ronds de papier dans une assiette creuse contenant de la goutte, puis elle les place dans chaque bocal, sur la confiture refroidie. Et elle ferme le bocal de la façon la plus hermétique possible. Cette méthode assure à la confiture une parfaite conservation. On range alors les pots dans un endroit frais et sec. Cet hiver, nous aurons de la bonne confiture de myrtilles sur nos tartines. Mmm... quel délice !

– Michelle, dépêche-toi d'enlever les feuilles.

– *Oh mé*, t'es encore pas contente ? Qu'est-ce qu'il y a encore ?

– Eh bien non ! Tu rêves ! Et pendant ce temps, tu ne fais rien.

– Oh la la !

C'est vrai que je rêve. Mon esprit va plus vite que mes doigts. Par anticipation, je mange déjà la confiture !

– Dis, Huguette, tu vas nous en faire cuire un peu ici pour nous, des myrtilles ?

– Oui, si tu retournes en chercher !

Alors là, je préfère me taire. Tandis qu'elle part à rire...

– Allez, va, ne pleure pas... Demain, je te ferai une bonne tarte. C'est encore meilleur que la confiture.

Ma bonne humeur revient au galop. Et je m'affaire de plus belle sur la planche à nettoyer.

Une petite boule bleue... Encore des dizaines de petites boules bleues... des milliers de petites boules bleues. Mais on n'a rien sans rien !

LA CONSTRUCTION DU PETIT CHALET

Il y avait, à quelque deux cents mètres de la maison des Combettes, une vieille bâtisse. Elle était partagée en deux : le dessous, en murs, servait autrefois d'écurie pour les moutons, et le dessus, en bois, de grange pour y stocker le foin.

En fait, si avant que nous ayons acquis cette propriété, la bergerie et le fenil étaient très utilisés, nous, au contraire, ne nous servions pratiquement ni de l'une ni de l'autre : la ferme des Combettes est suffisamment grande pour recevoir les moutons comme le foin ; et il est plus pratique d'avoir le tout sur place en cas de besoin.

Donc, cette vieille bâtisse ne nous était d'aucun usage. Si nous la laissions là à l'abandon, un jour, elle finirait par s'écrouler toute seule, vaincue par le poids de la neige, les assauts des intempéries, mais surtout victime de son délabrement : les murs de l'écurie se lézardaient de plus en plus, et sa toiture à moitié pourrie laissait passer de nombreuses fuites. Pourtant la charpente, le bardage et le plancher étaient encore en très bon état, récupérables et utilisables autrement que comme bois de chauffage.

D'autre part, il y avait aussi, à une vingtaine de mètres de la ferme, un emplacement où, dans le temps, était un four à pain. C'était une plateforme soutenue par un petit muret, située un peu en retrait, au bord de la route. Le four n'existait plus depuis longtemps, il n'était plus que ruine. Il n'en restait que les vestiges, des pierres effondrées en désordre, envahies par les sureaux, les orties et de grandes tiges de céleri sauvage – le paradis des cachettes pour nos lapins en liberté.

Tout bien pesé, Papa prit une décision au sujet de cette vieille bâtisse. Il fallait en faire quelque chose avant que, du fait de son toit percé et de ses murs crevassés, tout le reste s'abîme et qu'elle s'écroule : il allait la démolir pour la reconstruire plus près de chez nous. D'une vieille baraque, il tirerait un petit chalet tout neuf. Il suffirait de compléter les matériaux existant – charpente, poutres et planches – en achetant des tôles pour le toit, du lambris pour habiller l'intérieur, quelques kilos de clous, etc.

Où planterait-il ce nouveau chalet ? à l'emplacement de l'ancien four. Ce serait l'endroit idéal : il jouit d'une vue magnifique, imprenable.

Bien des jours ont passé. Depuis, Papa s'est mis à l'ouvrage. Il est d'abord monté sur le toit, prenant de grandes précautions pour ne pas passer au travers. Il a enlevé une à une ancelles et ardoises, séparant les unes des autres. Les ancelles ont été portées à la maison pour être brûlées ; les ardoises ont été laissées sur place, inutilisées. Puis il a enlevé les liteaux sur lesquels elles reposaient précédemment. Bientôt, il n'est plus resté du toit que les grosses pièces maîtresses de charpente, qu'il déferait plus tard, avec l'aide de M. Jean : elles étaient trop lourdes pour qu'une personne seule puisse en venir à bout, si décidée qu'elle soit à faire le maximum par ses propres moyens, sans déranger quiconque.

Alors, Papa a décloué les parois de la grange et le plancher, ôtant les planches l'une après l'autre, manœuvrant avec grand soin puisqu'il devait s'en resservir. Nous, les enfants, nous les avons trimbalées au fur et à mesure jusqu'à la maison – oh ! ces montées ! – et déposées en deux tas différents.

Quand ce fut terminé, on n'a plus vu, perchée sur le vieux mur, que la carcasse de ce qui avait été un fenil. Seules restaient accrochées aux poutres quelques toiles d'araignée – vieilles de combien d'années ? – qui, libérées, se balançaient dans le vent.

À ce moment-là, Papa a fait appel à M. Jean. Avant d'attaquer le démontage de la charpente, ils ont pris une sage précaution : ils ont marqué tous les éléments de la poutraison par une lettre (A, B, C et D représentant les quatre faces de la maison) suivie d'un numéro propre à chaque pièce de bois, afin de repérer plus tard leur place sans hésitation et de les assembler facilement. Ensuite seulement ils se sont mis à l'ouvrage.

Nous les regardions, assez impressionnés, tremblant qu'ils ne tombent ou ne se fassent mal. Mais tout s'est bien passé, sans incident, sans accident. Il fallait encore monter la charpente aux Combettes. Ils s'en sont chargés eux-mêmes, car, d'une part, elle était trop lourde pour nous, d'autre part, il était important de la ranger « bien comme il faut », dans un ordre précis – le bon – pour pouvoir s'y retrouver sans problème lors de la reconstruction.

Étape suivante : Papa a déblayé et préparé l'emplacement du vieux four. Il a coupé les sureaux, fauché les orties et le céleri sauvage. Puis il a rebâti pierre par pierre un mur de soutènement bien solide, sans ciment, mur dit « de pierres sèches ».

Alors Papa et M. Jean ont entrepris le remontage de la charpente. On aurait dit un jeu de construction pour enfants, mais à une échelle de géants ! Ce qui nous laissait éblouis, c'était que chaque pièce de bois se remettait exactement à son ancienne place, s'emboîtant parfaitement.

Petit à petit, on a vu s'élever dans le ciel une nouvelle carcasse, nettoyée de ses toiles d'araignées. Certaines poutres (mais très rares), défectueuses, ont été changées : Papa coupait les nouvelles ici, sur place, en choisissant entre nos sapins. Il jurait un peu, ce bois neuf, parmi le vieux, mais une fois l'habillage terminé, il n'y paraîtrait plus – et quand bien même, le temps ne tarderait pas à unifier les teintes.

Papa pouvait dès lors faire monter de Saint-Gervais (en plusieurs voyages) des tôles pour le toit, de belles planches toutes neuves et du lambris pour l'aménagement intérieur, et l'assortiment indispensable de clous, chevilles, outils, etc.

Avant de passer à la réalisation, Papa avait d'abord dessiné un plan : on ne se lance pas dans la construction d'un chalet en improvisant. Étaient prévus deux chambres, une salle à manger, un couloir et une cuisinette. Papa avait aussi indiqué les portes, et de quel côté elles s'ouvriraient. Les fenêtres seraient coulissantes entre les deux parois pour prendre le moins de place possible. Il avait même représenté les lits, l'armoire, la table, les bancs, les tabourets, les étagères dans la cuisine, le réchaud à gaz... Bref, tout y était – en miniature !

Sur le papier, c'était bien joli ! Mais au fur et à mesure de l'exécution, c'est devenu bien plus joli encore.

Papa est un artiste, sans avoir jamais appris la menuiserie autrement qu'en regardant ou aidant les autres. Guidé par un mystérieux instinct – ancestral, peut-être ? –, il sait faire, lui aussi. Il a le « don ». D'ailleurs nos parents savent tout faire, aussi bien la menuiserie, la maçonnerie, l'électricité, la plomberie, que réparer des chaussures ou des casseroles ou des cordes à foin... Quand on n'est pas riche, il faut savoir se débrouiller.

M. Jean est venu aider Papa pour ce qui est du gros œuvre, la charpente, la toiture, le bardage. Mais pour le reste, l'aménagement intérieur, Papa l'a fait tout seul. Cependant, lorsqu'il ne savait pas comment s'y prendre, ou qu'il avait des difficultés, il demandait à M. Jean. Bientôt, grâce à leur savoir, à leurs compétences, mutipliées parce que réunies, une merveille de petit chalet est sortie de leurs mains. Et voilà ! La vieille grange est toute transformée, elle a des « yeux » – les ouvertures où, plus tard, seront posées les fenêtres – et des « paupières » – les volets, qui, eux, ont été mis de suite pour que nous puissions fermer quand nous partirons. Bien sûr, ce n'est pas fini en un été : quel travail !

De l'extérieur, il ressemble à un vieux chalet, avec ses planches mangées de soleil, teintées à la couleur du temps ; mais lorsqu'on entre à l'intérieur, tout est blanc et neuf. Ça sent une bonne odeur de bois et de résine. En un mot, il est splendide, même s'il lui manque encore ses fenêtres, ses portes intérieures, et pas mal d'autres choses.

Maintenant, l'automne est venu. Nous le laissons inachevé, mais il ne craint rien ; il est solide, tout prêt à tenir tête au prochain hiver.

1954

LE PETIT CHALET ET SES LOCATAIRES

Depuis l'été dernier, le petit chalet a patienté sagement, guettant notre retour et attendant que Papa mette la dernière main à son œuvre. Cette fois, il est parfait, il ne lui manque plus rien.

Tout au long de l'hiver, pendant ses longs après-midi de libres, l'activité à l'extérieur étant réduite, Papa a fabriqué à Beaulieu une table à deux tiroirs, deux bancs, six tabourets, des portes, des fenêtres, etc. Il a tout fait lui-même. En plus, il a préparé, pour la coquetterie, des petits balconnets qu'il a cloués à l'extérieur, en dessous des fenêtres, pour pouvoir y mettre des fleurs, et autant de bâtonnets qu'il a été nécessaire pour inscrire son nom : *Le Petit Chalet.* (Ce n'est pas très original, mais rien ne lui conviendrait mieux !) Cela lui a pris beaucoup de temps... mais il en est venu à bout.

Au printemps, le tout a été monté aux Combettes, et ainsi Papa a pu finir ce qu'il avait commencé l'année dernière : un petit chalet tout neuf.

Il a fière allure, ce petit chalet, il est splendide ; le jour, il sourit au soleil, et la nuit, à la lune et aux étoiles. Papa est très fier de lui, ainsi que M. Jean. Quant à nous, nous ne nous lassons pas de l'admirer.

Et maintenant se pose la question : qu'allons-nous en faire ? Nous, nous n'en avons pas besoin, nous tenons tous dans la ferme. Alors ?

*
* *

La solution a été bien vite trouvée.

Depuis le début de la construction du petit chalet, nous avions remarqué les allées et venues de plus en plus fréquentes d'une famille dont la maman semblait très intéressée par l'avancement des travaux.

Effectivement, nous venons d'avoir sa visite. Elle se présente : Mme Mathieu. Elle nous dit combien le petit chalet lui plaît et nous demande s'il ne serait pas à louer.

Elle nous décrit sa situation. Elle a huit enfants. Elle habite près de Paris, et ses enfants ont besoin de bon air pur durant l'été pour compenser l'atmosphère viciée de la ville. Depuis plusieurs années déjà, elle vient avec eux chez des cousins, près de Motivon. Mais ils sont nombreux, et leurs cousins aussi. Ils se trouvent donc un peu à l'étroit. S'ils pouvaient loger dans notre chalet, ce serait formidable, car ils pourraient continuer de venir au bon air, tout en étant indépendants. M. Mathieu, lui, est garagiste et ne s'absente pas. Il reste en ville pour faire marcher le commerce, ainsi que les deux ou trois aînés qui emploient leurs vacances à des occupations diverses.

Mme Mathieu nous séduit tout de suite par son air d'honnêteté, sa bonne humeur, sa verve, ses bons sentiments et sa bonhomie. Elle nous confie qu'ils ne sont pas très riches. En cela, nous pouvons la comprendre. Lorsqu'on est riche d'enfants, on ne peut aussi être riche d'argent ! Mais peu nous importe cette question d'argent, entre familles nombreuses, on peut s'aider. Un drôle de marché est donc conclu : ils payeront un tout petit loyer réparti sur les douze mois de l'année, moyennant quoi ils viendront quand ils voudront et autant qu'ils voudront – accord valant pour le nombre de personnes comme pour celui des années.

Et voilà, le petit chalet ne s'ennuiera plus, vide et solitaire : il va vibrer de cris, de rires, de cavalcades joyeuses. Il va commencer à vivre.

LA VEILLÉE

Ouvre ta porte hospitalière,
Fidèle ami, voici le soir,
Près du foyer de ta chaumière
Avec bonheur je viens m'asseoir.

Nous passerons notre veillée
Causant en paix, chantant gaiement
Tandis qu'en bas dans la vallée
Tout dormira tranquillement.

En bas, dans la vallée de Saint-Gervais, mais aussi (notre regard porte loin) dans celles des Contamines, de Saint-Nicolas, Combloux, Megève (dont on attrape un petit bout), Cordon, Sallanches, Domancy, Le Fayet, Chedde, Passy..., oui, dans toutes ces vallées, après l'animation qui a bourdonné tout au long de la journée, après le ronronnement des moteurs de voitures montant jusqu'ici, ce soir vient l'apaisement, le règne du calme et du silence. De petites lumières innombrables se sont allumées et scintillent dans le noir. Elles donnent aux villes assoupies un air de fête ; on dirait que le ciel est descendu recouvrir la terre avec ses milliers d'étoiles.

Quelle paix !... C'est dimanche. Aux Combettes, c'est l'heure où notre « chaumière » se fait hospitalière pour recevoir l'ami qui vient partager notre veillée. La journée n'est pas finie, il n'est pas encore temps d'aller dormir !

En semaine, absorbés par nos travaux, nous n'avons pas beaucoup de distractions. Mais il est une coutume à laquelle nous ne manquons pas, celle de la veillée du dimanche soir.

Dans la mesure du possible, et en toute simplicité, nous transformons chaque dimanche en petite fête. C'est vraiment un jour pas comme les autres, le jour du bonheur : le matin, la messe au col de Voza ; à midi, un repas plus soigné qu'à l'ordinaire, avec viande et dessert (Huguette s'arrange toujours pour confectionner de délicieux gâteaux) ; l'après-midi, les jeux avec les cousins ; et enfin, le soir, la veillée.

En montagne, vu l'isolement dans lequel nous sommes maintenus, à la fois par l'abondance de travail et par l'éloignement géographique, chacune de nos familles doit prendre en main ses propres divertissements. La veillée dominicale en fait partie ; elle est précieuse et occupe une place de choix dans nos loisirs.

Neuf heures du soir, l'air est doux, la nuit n'est pas encore complètement tombée. Les vaches, pas pressées de rentrer, broutillent de-ci de-là en bas de la maison. Après les grosses chaleurs de la journée, elles apprécient elles aussi la tiédeur de ce soir d'été. Papa qui les garde est appuyé sur son bâton. Édith et Solange arrivent du Prarion avec les moutons qu'elles rentrent dans le parc. Huguette s'affaire au souper et met la table. Parrain (c'est ainsi que nous appelons notre grand-père), assis au coin du feu, récite un brin de chapelet. Nous, les petits, Jeannine, Bernard, Chantal, Marinette et moi, nous courons dehors dans cette demi-obscurité en poussant de petits cris pour nous faire peur. Symphonie d'un dimanche soir aux Combettes parmi tant d'autres, rempli de paix, de joie, et loin surtout de tout artifice, au cœur d'un panorama enchanteur d'ombres chinoises.

Mais... Sur la route venant d'en bas, cette silhouette sombre qui avance et se découpe sur le ciel... Oui, c'est M. Jean, avec son buste cassé en avant, depuis un accident de jeunesse qui lui a bloqué les reins. Une main dans la poche de son pantalon, l'autre tenant le bâton, la veste entrouverte (il ne fait pas froid), et la casquette bien droite sur la tête, il se dirige vers Papa.

– Bonsoir, Jean, tu as fait la montée ?

– Bonsoir, Maurice. Eh bien ! oui, comme tu vois.

– Il fait bon, ce soir, les vaches n'ont guère envie de rentrer !

– Oh ! Ça ne fait rien. Il y a le temps ! L'air est si doux.

Aussi heureux de se retrouver que s'ils ne s'étaient pas vus depuis longtemps, ils s'embarquent dans des histoires qui doivent être drôles, car les voilà partis à rire.

Nous nous approchons.

– Bonsoir, M. Jean.

– Bonsoir, les gamins. Ça va ?

Il rit en nous serrant la main. Papa nous envoie demander à Huguette d'allumer l'écurie pour rentrer les vaches. On a assez pensé à elles, il est temps maintenant de penser à nous.

Le ciel devenu noir est tout étoilé. Petit à petit, le crépuscule a reculé devant la nuit profonde, que troue seulement le carré de lumière dessiné par la porte de l'écurie grande ouverte. Une chauve-souris volète tout près, à nous frôler. Calmement, lourdement, les vaches rassasiées sont une à une rentrées, regagnant leurs places respectives. Papa et Huguette les ont attachées. Nous faisons le tour de la carrière en courant ; il ne reste plus que nous dehors, et les farandoles de la chauve-souris nous inquiètent un peu : si elle se prenait les pattes dans nos cheveux... ou si, touchant nos yeux, elle nous aveuglait ? On nous a abreuvés de tant d'histoires effrayantes, racontant par exemple que si elle nous touche, elle va rester collée sur nous... Peut-être est-elle inoffensive, cette petite bête, mais on ne sait jamais... et nous entrons comme des ouragans dans la cuisine, fermons la porte derrière nous comme si nous avions un fantôme à nos trousses. Nous nous précipitons autour de la table : il fait grand faim.

Comme les vaches, nous nous mettons chacun à notre place. Et chacun a « son » bol, différent de celui des autres. Nous épluchons nos pommes de terre cuites en robe, que nous accompagnons d'un gros morceau de tomme blanche (celle que Huguette fabrique avec le petit-lait de beurre). Que c'est fondant ! Puis, Huguette nous sert du chocolat chaud. Papa, lui, préfère du lait pur, dans lequel il coupe son pain ; Parrain), une assiettée de soupe ; M. Jean, un bol de café noir avec du pain et de la tomme. Malgré la frugalité de ce repas, tous les goûts sont pris en compte, et chacun est satisfait.

Le souper à peine fini, nous nous empressons de débarrasser la table, pour ne pas perdre une minute de cette soirée consacrée aux jeux. Comme d'habitude, Édith prépare la petite table et quatre chaises dans la chambre de Papa : avec ses dimensions modestes, son plafond bas, c'est une pièce plus intime que la cuisine, trop vaste, trop pleine de coins d'ombre, où bientôt le froid va s'installer, le feu va s'éteindre. Nous préférons nous serrer un peu, nous fermons la porte, et, nichés dans la bonne chaleur, nous goûtons le plaisir d'être réunis pour des parties joyeuses.

Autour de la petite table prennent place Parrain, M. Jean, Papa, rejoints par Édith ou Huguette : ils jouent à la belote ou au piquet, le jeu préféré de Parrain. Nous autres, nous nous perchons à califourchon sur le lit ou bien nous nous asseyons par terre.

Jouerons-nous au nain jaune, aux dames, à la bataille, au rami ou bien aux petits chevaux, au jeu de l'oie ? De toute façon, nous changerons au cours de la soirée.

L'animation est vite générale, et les exclamations s'entrecroisent :

– Belote et re...

– Roi qui prend. Youpi !

– Je mange ton cheval, retourne à l'écurie, ça t'apprendra à te mettre sur mon chemin !

– Atout cœur et j'en rejoue... Dix de der !

– Ça y est, j'ai une dame, gare à vous !

– Capote, vous êtes dedans !

– Attends ton tour, j'ai fait six, j'ai le droit de rejouer.

– J'ai gagné, Papa, j'ai gagné !

Nous rivalisons d'ardeur au jeu et d'entrain. Parfois, on doit faire baisser le ton dans le camp des plus jeunes, menaçant de les envoyer au lit s'ils crient trop fort. En fait, nous sommes comme des poissons dans l'eau, au milieu de ce brouhaha. On perd, on gagne, on rit, on grogne... C'est tellement simple d'être heureux ensemble.

Passionnés par nos jeux, nous ne voyons pas passer l'heure. Pourtant, lorsqu'arrive minuit, nos paupières s'alourdissent et les bâillements se multiplient. Il faut penser à aller se coucher.

Alors, pendant que nous rangeons les jeux, Huguette branche le réchaud électrique et fait chauffer le café. Édith sort de sa cachette le gâteau que Huguette a préparé. Solange met les bols, de tout petits bols blancs réservés au café du dimanche soir. Jeannine distribue soucoupes et petites cuillères. Et nous mangeons le gâteau et buvons le café... religieusement. Le silence est presque revenu.

Puis, M. Jean prend congé.

– Allez, au revoir, Maurice, et merci.

– Au revoir, Jean, et... à refaire !

– Au revoir, monsieur Jean !

– *Arvi*, les gamins...

Nous sortons tous sur le pas de la porte pour lui dire bonsoir. Chacun à notre tour, nous lui serrons la main, et déjà il s'éloigne. Il n'a pas besoin de lampe, ses yeux sont habitués à l'obscurité, et il connaît chaque pierre du chemin.

Bien vite notre ami disparaît, happé par la nuit.

L'AMOUR CHEZ LES MOUTONS

Comme nous passons, très jeunes, de longues heures à garder nos moutons, ils n'ont « presque » plus de secrets pour nous. Nous assistons à leurs scènes d'amour. À la campagne, à vivre en compagnie et au milieu des animaux, très tôt l'amour physique nous est révélé : nous voyons faire les chats, les chiens, les lapins, les poules...

Mais j'accorde une attention particulière aux moutons. Étant très souvent avec eux, je les connais davantage, et chez eux, je trouve que l'amour est plus beau. Ce n'est pas un simple accouplement destiné à la survie de la race et à la reproduction, c'est aussi l'expression d'un sentiment, même s'il s'agit d'animaux.

En cela, les moutons sont très différents des vaches ou des lapins, par exemple, qui, à peine sont-ils réunis, sans se connaître, s'accouplent – puis c'est fini, chacun repart ou est reconduit à sa place. Non, les moutons, eux, se connaissent, s'aiment, prolongent leur solitude à deux. Même si quinze ou vingt brebis se partagent un unique bélier, au moment de l'amour, chacune est courtisée et reçoit les marques de la préférence.

– Poupette, si tu ne restes pas avec les autres, je vais me fâcher !

Poupette est une jolie brebis blanche. Autour de ses grands yeux, il y a deux ronds noirs, ce qui nous fait dire : Poupette a des lunettes. Elle porte le même rond noir autour du museau et au bout des oreilles, et de grandes cornes bien tournées. En un mot, elle est très belle. Nous l'aimons beaucoup, et comme nous l'avons gâtée un peu plus que les autres, elle est plus familière avec nous, ce qui nous fait grand plaisir. Elle répond à son nom. Nous l'appelons ? Elle accourt vers nous en bêlant : elle vient réclamer du sel, qu'elle déguste alors dans le creux de notre main ; ça chatouille et c'est tout doux, tout chaud. On la caresse ? Elle se laisse faire, sans crainte ni méfiance. Elle ne s'esquive pas, comme les autres, dès qu'on l'approche, et nous lui réservons toujours quelques gâteries : du sel (c'est ce qu'elle préfère) ou un bout de pain sec, ou un fruit lorsque c'est l'automne et qu'il y en a en abondance.

Mais aujourd'hui, Poupette est lointaine, elle fuit le troupeau, elle ne veut même pas de sel. Elle mange à peine, comme du bout des lèvres. Poupette serait-elle malade ? Pourtant, elle a l'air en pleine forme ! Il faut que je le dise à Papa, à midi : Poupette m'inquiète.

Quiqui s'éloigne du troupeau à son tour, et s'avance vers Poupette. C'est un gros bélier tout blanc, possédant lui aussi lunettes noires et grandes cornes. Il ressemble comme un frère à Poupette, mais ce n'est pas son frère. Papa l'a acheté juste avant la montée aux Combettes, assurant qu'il ferait un parfait reproducteur. Je ne comprends pas très bien ce mot, d'ailleurs ce n'est pas à moi que s'adressait cette appréciation.

Mais revenons à nos moutons.

Quiqui s'approche tout doucement de Poupette.

– C'est ça, Quiqui ! Va la consoler, car pour rester ainsi toute seule et ne pas manger, elle doit avoir du chagrin.

Papa m'a rassurée : Poupette n'est pas malade, mais seulement en mal d'amour, en mal d'agneau.

Ce soir, Quiqui ne pense qu'à Poupette. Il s'approche d'elle, se rapproche encore, vient si près d'elle, même, qu'il frotte sa tête contre la sienne et lui caresse la joue d'un petit coup de langue.

– Oh ! Quiqui ! Tu l'embrasses à présent ? Je ne t'en demande pas tant !

Mais Poupette ne l'entend pas de cette oreille. Elle se détourne et s'en va un peu plus loin. Mais ne dirait-on pas une invite plutôt qu'une fuite ? L'air de rien, elle se retourne un peu, comme pour voir si Quiqui la suit...

– Mademoiselle Poupette, mais vous aguichez ?

J'en suis presque sûre : elle lui a fait un clin d'œil, assorti d'un sourire, comme pour l'encourager...

– Allez, viens, mon beau...

Quiqui, alléché, trottine autour d'elle. Il pose sa tête sur son dos et la gratifie chaque fois au passage de quelques petits coups de langue. Et le voilà qui lui parle à l'oreille ! Dommage que je ne comprenne pas le langage mouton !

– Bèè... bèè... bèè...

Il murmure des bêlements timides en la frôlant et multiplie ses petits coups de langue. Poupette joue la coquette. Elle fait des bonds légers sur le côté, elle volte, fait semblant de ne pas voir Quiqui, de ne pas comprendre ses assiduités, ce qui a pour effet de l'affoler. Alors, elle en rajoute : elle commence à manger, comme indifférente à son manège. Quiqui se calme un peu. Il se remet à brouter, lui aussi, mais juste à côté d'elle, au ras de son museau, et par moments, il émet de petits grognements. Il la pousse un peu, mais tendrement.

Je les regarde, à la fois émue et amusée par ce cérémonial.

*
**

Cela fait deux ou trois jours que Quiqui conte fleurette à Poupette, et il se montre de plus en plus entreprenant. Parfois, il passe une patte sur son dos, on dirait qu'il veut la prendre dans ses bras. Il lui susurre à l'oreille des bêlements câlins, l'embrasse à petits coups de langue un peu partout. Sans cesse il tourne autour d'elle, comme pour l'étourdir... En tout cas, elle ne peut pas l'ignorer !

Poupette ne reste plus de glace. Elle se laisse courtiser à présent, et même, elle répond à son tour aux petits bêlements. Et elle l'embrasse elle aussi à petits coups de langue. Et lorsque Quiqui veut monter sur son dos, elle ne fuit plus, elle est consentante. Elle tourne sa tête vers lui, et c'est comme une supplication et une acceptation que l'on peut lire dans ses grands yeux d'or. Alors, l'accouplement a lieu. C'est l'accouplement de deux moutons qui s'aiment, sans rien de sale, de dégoûtant ni de vulgaire. Ils sont pleins de tendresse l'un pour l'autre.

Toute la journée, ils ne pensent qu'à eux : le troupeau et moi, nous n'existons plus, ils ne nous voient plus.

L'idylle a duré un jour. Maintenant tout est rentré dans l'ordre. Poupette et Quiqui, rassasiés de leur amour, rejoignent le troupeau.

Il ne reste plus qu'à attendre la suite des événements : le fruit de leurs amours.

– Poupette, tu veux un peu de sel ?

Elle accourt vers moi comme auparavant, avec un bref bêlement en signe d'excuse. Je lui présente ma main et tout doucement, à coups de langue élégants, elle lèche sa gourmandise.

MAMAN

Maman,
Ecoute la prière
De ton enfant qui t'aime...
Du haut de la montagne
Je pleure et je t'appelle
Maman, Maman,
Viens,
Ecoute la prière
De ton enfant qui t'aime.

Je suis assise sur mon rocher. Je pleure. Mon harmonica se promène entre mes lèvres. Une douce mélodie en sort, tandis que du plus profond de mon âme naissent ces paroles : « Maman, oh ! je t'en supplie, viens... J'ai tant besoin de toi, je t'aime tant et je suis si seule ! J'ai mal, j'ai si mal de ton absence. Oh ! Maman, sais-tu combien je t'appelle ? »

Voici près de deux mois que je suis ici. Maman ne monte le ravitaillement que deux fois par semaine, avec la jument ; je la vois donc très peu. J'ai dix ans et sa présence m'est plus nécessaire que le pain que je mange. Je suis souvent triste ; Papa se plaint de ma sensibilité excessive. Je pleure en cachette, sans faire de bruit. Maman, tu me manques trop, j'ai trop besoin de toi.

*
**

Aujourd'hui, c'est mardi, jour de ravitaillement. Quatorze heures trente : Maman ne va pas tarder d'arriver. Je suis dans ma chambre : la sieste ! toujours la sieste !... Alors que Maman peine sur le chemin des Combettes. Et moi qui l'attends tellement, je n'ai pas le droit, malgré mon impatience insupportable, de me lever pour voler à sa rencontre. J'écoute de toutes mes oreilles... et bientôt je perçois... mais oui, c'est ça ! – ce sont les grelots de Poupée. Maman arrive ! D'un bond je suis à la fenêtre, je crie : « Maman ! » De la cuisine, une voix me rappelle à l'ordre : je dois dormir ! il est l'heure de dormir. Mais comment voulez-vous que je dorme ? C'est Maman ! c'est Maman qui arrive, c'est Maman que j'aime tant, ma Maman pour qui je pleure dans ma solitude. Mais personne ne comprend. Personne..., sauf Maman !

À son arrivée, elle ne peut me prendre aussitôt dans ses bras. Elle ruisselle de sueur, elle doit d'abord se changer, boire un café bouillant, se reposer un moment, parler en confidence avec Papa. Il est quinze heures trente quand enfin j'ai la permission de me lever.

Timidement, je sors de ma chambre, nos yeux se croisent, nos cœurs s'étreignent... Maman, tu es là ! Et tout à coup je dévale l'escalier et je suis dans ses bras. Nous ne disons rien. Nous n'avons pas besoin de paroles pour exprimer l'amour. Elle me serre très fort et m'embrasse – pas longtemps : comme tous ceux de la montagne, nous sommes pudiques et réservés ; il n'est pas dans nos habitudes d'étaler nos sentiments. Et puis je ne suis pas seule à vouloir me remplir de sa présence. Mes frères et sœurs attendent aussi leur part. Maman est heureuse de nous retrouver tous. Pendant le goûter, elle s'informe de nous, puis elle nous raconte ce qui se passe « en bas », à Saint-Gervais, à Beaulieu, où en sont les foins, comment vont les choses...

Moi, assise sagement en face d'elle sur le banc, j'en oublie de goûter. Je bois ses paroles. Je me rassasie le cœur de sa tendresse. Bientôt, elle va repartir, je serai à nouveau seule, mais son souvenir m'aidera à patienter jusqu'à sa prochaine visite. C'est drôle ! Lorsque je la voyais tous les jours, je ne savais pas combien elle m'était nécessaire. La vie à l'alpage m'apprend le précieux de sa présence.

Au moment où elle va redescendre, je l'embrasse très fort. Elle me glisse à l'oreille : « À bientôt, sois bien sage ! » Elle sait que j'ai de la peine. Mes yeux brillent, mais je ne pleurerai pas, il ne faut pas que je l'attriste. Je l'accompagne jusqu'au bout du chemin. Un dernier signe de la main... Le virage la cache à ma vue, mais mon cœur, même s'il est déchiré, est tout illuminé. À bientôt, Maman ; je t'aime.

LE TÉLÉPHONE

S'il est une invention qui agrémente la vie, facilite les rapports en supprimant les distances et rend d'innombrables services lorsqu'on vit éloignés les uns des autres, s'il est une invention fantastique, c'est bien le téléphone !

Mais le téléphone aux Combettes ! Vous n'y pensez pas ! Et nous non plus, bien sûr ! Même en ville, très peu de gens jouissent de cette installation. Nous ne sommes pas à plaindre, nous avons déjà l'électricité, et, pour un chalet d'alpage perché à 1 650 mètres d'altitude, ne servant que quatre mois dans l'année, c'est un véritable luxe.

Lorsque Papa et Maman ont acheté cet alpage, vers 1946-1947, l'électricité n'y arrivait pas encore : elle s'arrêtait aux Plancerts, chez M. Jean, à quelque deux cents mètres à vol d'oiseau en dessous des Combettes. C'était le terminus.

Aussi, après avoir parlementé avec les représentants de l'É.D.F. sur le prix d'une éventuelle continuation de la ligne des Plancerts jusqu'aux Combettes, Papa et Maman en ont-ils demandé la réalisation. Trois ou quatre poteaux intermédiaires plantés en coupant droit à travers champs et forêts, du fil de cuivre, une installation de fil et d'ampoules dans toutes les pièces de la maison, écurie des vaches comprise... et le tour était joué.

Les soirées sont longues en montagne, et notre travail finit tard le soir. Nous ne sommes jamais couchés avant dix heures, dix heures et demie. Depuis que nous avons l'électricité, nous voyons clair où et quand nous voulons, même la nuit. Plus besoin de lampes à pétrole ou de bougies somme toute assez dangereuses et qui ne donnent que d'étroits cercles de lumière étranglés de coins d'ombre terrifiants. Avec l'électricité, il n'y a qu'à tourner un bouton ou brancher une prise, et hop ! la lumière luit : c'est magique !

Le confort se paie cher. L'installation de l'électricité a coûté une petite fortune à Papa et Maman, car, bien sûr, tous les frais furent à leur charge. Mais, depuis, notre vie d'alpagistes en est toute transformée.

Par contre, pour ce qui est du téléphone, alors, là, non, pas question. Le poste le plus proche se trouvait à Motivon, c'est-à-dire à plusieurs kilomètres de chez nous. Nos moyens ne nous le permettaient pas. D'ailleurs, nous n'en avions pas vraiment besoin. Maman ou l'un des garçons montent régulièrement deux fois par semaine pour notre ravitaillement (en même temps, ils redescendent le beurre, qu'ils vendent à quelques familles de Saint-Gervais, ainsi que quelques litres de lait pour leur consommation personnelle). Si nous avons des commissions à faire, des messages à transmettre, nous savons qu'il nous suffit d'attendre trois à quatre jours au plus. Nous apprenons ainsi la patience. Toutefois, pour les cas d'urgence, nous avons mis au point un système de communication efficace.

Les Combettes sont situées sur le versant du Prarion qui fait face au versant du Bettex où se trouve Beaulieu. Nos deux maisons sont donc placées en vis-à-vis, et aucun obstacle entre elles n'arrête le regard. En cas d'absolue nécessité, nous avons un signal visible à l'œil nu : un grand drap blanc, qu'il suffit d'étendre soit sur le balcon de Beaulieu, soit à la fenêtre de notre chambre aux Combettes. Il se détache sur le fond noir de la maison et saute aux yeux. Il signifie : « Il faut venir. Je ne peux me déplacer. C'est important. » Celui qui perçoit le signal se met en route aussitôt.

Aussi, la seule personne avec qui il nous semblait utile et agréable de communiquer est M. Jean.

Dans le temps (on me l'a raconté, mais je ne l'ai pas vérifié) – et d'ailleurs davantage dans les Alpes suisses qu'ici –, pour communiquer d'un chalet d'alpage à l'autre, il paraît que les bergers employaient le cor, ce grand cor des Alpes à la résonance si particulière. Mais nous, nous n'avions pas de cor des Alpes, seulement un cor « tout court »... et dont nous ne savions pas jouer. Alors, que faire ? Descendre chaque fois aux Plancerts – puis remonter ? Mais que de temps et de peine perdus... Crier ? Mais la forêt qui nous sépare aurait intercepté nos voix... Pourtant il est si pratique de pouvoir se parler sans se déranger ! Notre esprit inventif a trouvé la solution. Bien sûr, le répertoire des messages possibles est limité. Bien sûr, notre technique ne peut être utilisée à n'importe quel moment de la journée. Mais il faut savoir se contenter de ce que l'on a. Et qu'avons-nous, justement ? Nous avons l'électricité.

Le dimanche soir après la veillée, lorsqu'Huguette fait chauffer le café, elle ne rallume pas le fourneau. Elle se sert du réchaud électrique, c'est plus rapide. M. Jean, quant à lui, utilise une bouilloire électrique. Quel rapport avec le téléphone, dites-vous ? Eh bien, nous avons remarqué que chaque utilisation de ces appareils diminue la luminosité des ampoules en fonction à ce moment-là. Et la voilà, la solution à notre problème : jouer sur ces variations d'intensité lumineuse. Comment nous y prenons-nous ? Il a suffi d'établir un répertoire rudimentaire, parent du morse, composé de phrases toutes faites qu'on matérialise à coups de points et de traits, de brèves et de longues, c'est-à-dire de lumières vives et de lumières atténuées, qu'on obtient en branchant ou débranchant notre réchaud ou la bouilloire des Plancerts. (Brancher et débrancher aussitôt équivaut à une brève ; laisser brancher quatre ou cinq secondes avant de débrancher représente une longue.) Opération à mener en respectant un certain code établi.

Une brève suivie d'une longue veut dire bonsoir. Celui qui perçoit ce message le reproduit pour montrer qu'il l'a bien reçu. Puis il faut lui laisser le temps d'aller chercher le bout de papier où sont notées toutes les phrases possibles dans nos conversations : quelques demandes, affirmations, négations, toujours les mêmes, mais dans un ordre différent selon ce que nous avons à nous dire.

Il nous faut être très attentifs lorsque nous « téléphonons », ne pas être dérangés et ne pas nous laisser distraire. Compter les longues et les brèves, chaque fois, sans erreur. Réceptionner et transmettre avec précision est primordial pour une compréhension correcte. Et bien sûr, nous ne téléphonons pas à midi, mais le soir, quand les ampoules sont allumées ! Moyennant quoi, notre téléphone se révèle très pratique et très efficace. Nous n'y passons pas des heures, et la facture est à peu près nulle. Aussi nous téléphonons-nous assez souvent, chaque fois que nous avons besoin de nous voir et même, de temps en temps, pour le plaisir, le seul fait de nous souhaiter le bonsoir, de vérifier que l'ami existe encore et qu'il va bien.

Ce soir, c'est Huguette qui est « au téléphone » et qui décode le dialogue.

º –	Bonsoir
º –	Bonsoir
º º –	Ça va ?
º º	Oui.
– – º º	Est-ce que tu viens ce soir ?
– –	Non.
º º º – –	Viens faire la belote !
– – – –	Je ne peux pas.
º º – –	Pourquoi ?
– – –	Je suis fatigué.
– º	Est-ce que tu es malade ?
– –	Non.

– – – º Est-ce que tu es fâché ?
– – – º º Je suis déjà couché !
– º º Bonne nuit, dors bien !
º º º Merci.
º – Bonsoir.
º – Bonsoir.

Huguette remet le réchaud à sa place. M. Jean ne viendra pas aujourd'hui. Il ne devait pas être tout à fait couché – plutôt sur le point d'y aller –, puisque sa lampe était allumée et qu'il a « vu » notre appel.

Maintenant, il peut s'endormir un sourire aux lèvres, il n'est pas tout seul, un peu plus haut quelqu'un a pensé à lui. Notre téléphone a fonctionné. Nous ne lui demandons pas davantage que ce qu'il peut nous donner : la reconnaissance de l'amitié qui passe à travers l'électricité et nos signaux bien rythmés.

LE VENT

V'là l'bon vent
V'là l'joli vent
V'là l'bon vent
Ma mie m'attend.

Ce n'est pas ma mie qui m'attend, mais mon ami le vent. Aujourd'hui, j'ai rendez-vous avec le fœhn, ce bon vent chaud qui nous vient du sud. De presque tout le monde il est mal vu : il est de mauvais augure et triste messager ; il rend fou ; il fait fondre la neige et délite les rochers en altitude ; il a pris son vol du mauvais côté, il est précurseur de pluie... Oui, après le fœhn, on a toujours de la pluie, effectivement, et une période mauvaise, plus ou moins longue.

Mais à moi, que m'importe la pluie de demain et tous ces mauvais présages ? Je suis jeune, je vis au jour le jour, j'aime le fœhn, le fœhn et son souffle chaud, et aujourd'hui il me comble de joie. Depuis longtemps j'espérais sa visite : malgré tout le mal qu'on dit de lui, il est le vent que je préfère. Il ne se passe pas un été sans qu'il s'installe chez nous pour une journée au moins.

Ce matin, lorsque je me lève, je ressens une drôle d'impression. L'air est tout chaud, partout autour de moi. Et cette chaleur m'enveloppe, me pénètre, m'étourdit. Je me dépêche de m'habiller et de déjeuner. Puis, tout heureuse, je pars avec mes moutons. Pas besoin de prendre un manteau, l'air est si doux ; ô gué, vive le vent de la liberté !

Lorsque j'arrive au Prarion, sur ces grands plateaux... là aussi le vent est roi. Rien ne l'arrête et il s'en donne à cœur joie. Je laisse mes moutons aller à leur guise, et moi, je me couche dans l'herbe pour lui échapper. Alors, il vient me saluer...

– Bzz... hou... hou... ououou...

– Bonjour, monsieur le vent !

– Bzz... hou... hou... ououou...

– Bonjour, l'herbe des champs !

Je tourne la tête. Sous sa dictée, l'herbe des champs me parle à l'oreille. Il faut se mettre tout près d'elle pour l'écouter... et pour l'entendre, il faut se mettre à sa hauteur... Mais alors, quelles confidences !... Et pour le plaisir des yeux aussi, elle fait du charme : elle frissonne, elle plie, elle se couche, elle se relève jusqu'à la bourrasque prochaine. Tous ces mouvements font une petite musique... si douce... presque imperceptible.

Ses grands frères les sapins et les mélèzes, quant à eux, mènent grand tapage.

– Bzz... hou... hou... ououou...

Ils se courbent, ils se penchent. Ils tournent tous leurs bras dans le même sens, poussés par cette force invisible. Parfois, un craquement sinistre... mais ce n'est qu'une branche morte qui se détache et tombe au sol.

Le vent souffle et il s'enfle, il rit de toutes ses dents en faisant ses fantaisies : il s'entortille autour du moindre obstacle vertical, soutient les ailes des oiseaux, qui peuvent rester très haut sans effort...

– Bzz...hou... hou... ouououou...

Et il s'amuse et il court, il part, il revient, il siffle, il tourne en toupie, il monte, il descend, il plonge... Il n'a pas de répit. Dans ses bras, il promène toutes les poussières, et son souffle est chargé de mille senteurs volées de-ci de-là.

Au passage, il me glisse une caresse sur la joue... ô la caresse du vent ! Il m'invite à partager sa fête. Alors, n'y tenant plus, je me lève, j'étends mes bras, je cours, légère, et je m'envole. Lui, tout heureux d'une prise nouvelle, me pousse, me roule, s'engouffre sous mes jupes qu'il gonfle comme un ballon. Je ris et virevolte avec lui. Je le respire et m'enivre de lui. J'ai défait mes cheveux, qu'eux aussi participent à la danse... Ils s'éparpillent à l'instant, emportés par le vent. Je cours et je ris, je suis loin, tout là-haut, parmi ces oiseaux qu'il porte dans ses bras puissants.

Mes moutons, étonnés, me regardent... et me croient devenue folle !

– Mais non, moutons, n'ayez pas peur ! Aujourd'hui, grâce au vent, me voici transformée en elfe des champs.

Je jouis de son contact sur ma peau. Tiens, un jeu nouveau : j'essaie d'attraper le vent ! J'ouvre mes mains, j'ouvre mes bras, mais... lorsque je les referme sur ma proie, le vent, cet insaisissable, se rit de moi.

Dans les cieux, les nuages se gonflent et se poursuivent dans des courses folles. Je suis des yeux leur sarabande que conduit le vent. Ils prennent toutes les formes possibles et impossibles. Ils se disputent leur place, comme si le ciel n'était pas assez grand pour eux.

– Vent, mon ami, quand cesseras-tu de mettre tout le monde en folie ?

Une telle exubérance bientôt m'épuise, et me voilà de nouveau étendue sur le dos.

– Pouce, le vent ! Pouce ! Je n'en peux plus.

– Hou... hou... Tu m'abandonnes ?

– Non, le vent, tu sais bien que je t'aime. Mais trop d'émotions m'atteignent. Pouce, le vent ! Attends un moment !

Comme s'il comprenait mon tourment, le vent s'éloigne un peu de moi. Je ferme les yeux et doucement mon corps s'apaise. Lui, cet infatigable, poursuit sa course effrénée.

– Profites-en, le vent ! Aujourd'hui, tu es roi, profites-en !

– Bzz... hou... hou... ouououou...

– Adieu, mon ami le vent. Cours tant qu'il est encore temps ! Adieu, le vent...

LA POUPÉE

– Michelle, ne reste donc pas là dans nos jambes à ne rien faire, avec ta poupée dans les mains ! Va plutôt aider Jeannine et Solange à laver les casseroles au bassin.

Tout le monde est en pleine agitation : nous *démontagnons* et nous devons laisser tout le matériel qui reste sur place le plus propre possible. Chacun doit faire sa part, selon ses capacités, et ce n'est pas le moment de rechigner.

Pas question de perdre du temps à monter ma poupée dans la chambre. Où la poser, pour ne pas courir le risque de la faire tomber dans le bassin pendant que je récurerai les casseroles ? Tiens ! ce petit trou dans le mur, juste au-dessus de la porte de la cave...

– Voilà qui va faire ton affaire. Allez, petite poupée, sois bien sage. Je ne t'oublierai pas, mais je dois aller travailler.

Au bassin, je me mets à frotter énergiquement le fond des casseroles, noirci par les passages répétés à la flamme, jusqu'à ce qu'ils brillent à nouveau. Avec quoi, dites-vous ? Mais du sable, tout simplement... et beaucoup d'huile de coude.

Maman va et vient de la cuisine au tombereau, où elle déverse un monceau hétéroclite d'outils, vêtements, ustensiles, objets divers... Les bras chargés de piles instables, elle passe et repasse dans le couloir, un peu à l'aveuglette.

Craaac...

– Qu'est-ce que c'est ?

Maman se penche pour regarder sur quoi elle a marché, mais elle ne se fait guère d'illusions : le bruit très caractéristique du celluloïd écrasé l'a tout de suite renseignée.

– Oh ! la poupée de Michelle !

Elle est très ennuyée, car elle sait combien j'y tiens. Elle la ramasse et m'appelle.

– Michelle, viens voir.

J'arrive, les bras noircis et mouillés jusqu'au coude. Maman me tend la poupée en me disant qu'elle est vraiment désolée de cet accident. Je la prends dans mes mains. Sa tête est complètement écrasée et, devant ce désastre, je me mets à sangloter.

– Ma poupée... ma petite poupée...

Maman essaie de me consoler.

– Je ne l'ai pas fait exprès... Je t'assure... Quelque chose a dû l'accrocher, elle est tombée et je ne l'ai pas vue. Si tu savais comme je regrette !

Je n'écoute pas ses bonnes paroles et sanglote de plus belle.

– Ma poupée... ma toute petite poupée...

Maman est vraiment ennuyée. Devant tant de chagrin, elle aussi a les yeux brillants de larmes.

– Allons, ne pleure pas comme ça...

Mais je ne sais que répéter ma plainte :

– Ma poupée... ma toute petite poupée...

C'était ma seule vraie poupée. Quand j'étais petite, je m'en fabriquais avec des bouts de chiffon ou de la laine, ou encore, lorque j'étais en champ aux vaches aux Combettes, avec de la « barbe » de mélèze, mais le résultat n'était pas très satisfaisant.

Aussi, quelle n'avait pas été ma joie lorsque, au Noël dernier, ma tante Olga avait envoyé, dans un colis... un tout petit paquet parmi les autres, mais celui-ci avec mon nom dessus : Pour Michelle. Et dans ce petit paquet..., une mignonne petite poupée en celluloïd. Elle mesurait une dizaine de centimètres à peine. Avec ses bras et ses jambes « qui bougeaient », sa bouche en cerise rouge, ses yeux bleus tout ronds et ses cheveux bien dessinés, elle était devenue pour moi la plus belle, la plus merveilleuse, la plus aimée des poupées.

Elle me suivait partout, et, bien sûr, aux Combettes encore plus qu'ailleurs, où, l'absence de Maman me pesant, je la chargeais de recevoir en secret les épanchements de mon cœur. Comme elle entrait facilement dans mes poches, elle avait fait ainsi beaucoup de promenades. Je l'emmenais en champ aux vaches ou aux moutons, et je m'y sentais moins seule.

À la maison, je lui avais installé un lit à sa taille dans une boîte de sucre : un peu de mousse en guise de matelas, deux petits mouchoirs comme draps, et, pour couverture, un bout de manche d'un pull qui avait été coupé car trop usagé. J'étais comblée par cette petite poupée – la première de ma vie, une poupée pour moi..., pour moi toute seule.

Elle était devenue ma confidente, et souvent ma consolatrice, car lorsque j'avais de la peine, la lui confier me la faisait paraître moins lourde.

Elle était de toutes les parties, partageait mes joies et mes jeux, ma petite poupée...

Alors, maintenant, comment voulez-vous que je cesse de pleurer ? Mon chagrin est si grand..., ma peine, si incommensurable...

Aussi Maman me prend dans ses bras et me glisse tout bas à l'oreille, en confidence :

– Ne pleure pas, je t'en achèterai une autre toute pareille. Allons, c'est promis. Mais je t'en supplie, ne pleure plus...

J'essaie de ravaler mes larmes. Je sais bien qu'elle ne l'a pas fait exprès. Je ne lui en veux pas, d'ailleurs ! Mais je suis si triste que mes yeux coulent malgré moi, comme un fleuve intarissable...

À travers ce brouillard, je regarde ma poupée écrasée, dans mes mains. Puis, tout doucement, je monte l'escalier pour aller dans ma chambre. Les casseroles peuvent bien attendre un peu. Je la dépose précieusement dans son petit lit. Le visage inondé de larmes, entre deux sanglots, je lui parle :

– Ma petite poupée, je ne pourrai plus jouer avec toi, ça me fait trop de peine de te voir ainsi. Mais je te garderai quand même... parce que je t'aime... Adieu, petite poupée...

Contrairement à mon habitude, je referme le couvercle de la boîte à sucre qui devient comme son cercueil, et la dépose dans un coin sur l'étagère : ce ne sera pas nécessaire de la redescendre à Beaulieu.

En même temps que la tête de ma poupée, c'est mon cœur qui est brisé.

Puis, je me mouche un bon coup. Mes yeux ? Pas la peine de les essuyer : ils se remouillent aussitôt.

Je sors de la chambre, descends l'escalier, retourne au bassin où je me mets à frotter en silence le fond des casseroles. Jeannine et Solange me regardent, sans rien me demander. Elles comprennent que quelque chose de grave vient de se passer. S'il y a des questions à poser, ce sera pour plus tard. Pour le moment, compatissantes, elles cessent leurs plaisanteries et imitent mon silence, la peine de l'une faisant la peine des autres, comme la joie de l'une fait la joie des autres.

Il me fallut attendre jusqu'au Noël suivant...

Mais ce jour-là, dans mes souliers, devant le « fourneau », je découvris... oh ! une magnifique petite poupée, un tout petit peu plus grande que la première, avec, en plus, deux pelotes de laine, une rose et une blanche, ainsi qu'une paire d'aiguilles à tricoter : je n'avais plus qu'à lui confectionner un trousseau bien à ses mesures.

Folle de joie, je sautai au cou de Maman.

– Oh, merci, Maman !

Ne pouvant en dire davantage (la joie, ça étouffe !), je partis avec mon trésor serré sur mon cœur, à la recherche d'une nouvelle boîte, pour un nouveau petit lit et un nouveau bonheur.

1955

LA FAMILLE MATHIEU

Cet été, c'est fait, les Mathieu se sont installés dans le petit chalet. Ils ont apporté de grosses malles remplies de vêtements et de diverses choses qui n'en partiront plus. Le chalet est devenu leur fief : de ce jour, nous n'avons plus jamais osé y entrer autrement qu'invités. Ce n'est plus « notre chalet », mais « le chalet des Mathieu ».

Ils sont arrivés, la Maman et les six plus jeunes enfants. Ils ont fait monter une partie de leur matériel en jeep (les grosses malles et quelques valises), et pour le reste – baluchons et alimentation –, Maman a fait un voyage avec la jument.

Quel déménagement ! Nous les regardions de loin et nous étions sidérés, nous demandant si le tout allait pouvoir tenir à l'intérieur du chalet : sept personnes, plus autant de matériel ! Comment allaient-ils faire ? Comment trouveraient-ils assez de place pour coucher tout ce monde parmi tant d'affaires ? Dans les bagages, il y avait plusieurs lits de camp (et une tente, pour quand ils seraient plus nombreux encore !) qu'ils éparpillèrent un peu dans chaque pièce. Bientôt, on vit ressortir les grosses malles encombrantes, maintenant vidées de leur contenu. Elles resteraient dehors tout l'été, sous l'auvent du toit, avec une toile plastifiée par-dessus ; elles ne risqueraient rien, et même, comme elles sont assez étanches pour protéger de l'humidité, ils pourraient y entreposer ce dont ils n'ont pas grand usage : en montagne, il faut être prévoyant. De ce fait, on a toujours du matériel en plus « au cas où ». Peut-être s'en servira-t-on une seule fois, mais... il le faut quand même, car à ce moment-là, il sera indispensable.

Puis, nous avons fait connaissance avec la famille. Si nous avons adopté de suite Mme Mathieu, qui est des plus charmantes, avec les enfants, les débuts ont été plus difficiles (mais petit à petit, nous arrivons à nous entendre !) : en effet, ils nous paraissaient fort prétentieux ! Ils viennent de la ville, près de Paris, et nous,

nous ne sommes que des petits paysans à regarder de haut. Ils voulaient nous impressionner, nous épater, nous écraser un peu. Aussi, ils ne nous paraissaient pas très intéressants. Notre jugement sur eux n'était pas meilleur que le leur sur nous. D'après eux, ils avaient tout vu, tout entendu, tout vécu, ils savaient tout. Tout ce qu'ils avaient et tout ce qu'ils étaient les plaçaient bien au-dessus de nous, pauvres petits péquenots. Devant tant de suffisance, nous les laissions dans leur coin, pour le moment. Après tout, nous n'avions pas besoin d'eux ! On s'en était bien passé jusqu'à maintenant, on pouvait encore s'en passer ! Qu'étaient-ils d'autre que des vacanciers, autrement dit une classe absolument différente de la nôtre, certes, et dont il vaut mieux se tenir éloigné – des gens qui ne font rien et n'ont rien à faire durant deux mois complets, alors que nous, nous sommes si occupés ?

Par exemple, ils trouvaient que nous sentions mauvais. Évidemment, dans une ferme, que voulez-vous sentir sinon la vache, le fumier et toute cette odeur qui vous imprègne si fort ! Vous avez beau vous laver, vous mettre du parfum, c'est toujours cette odeur de ferme qui domine. Bien sûr, eux sentent bon ! Personnellement, j'aime leur odeur : eau de toilette, savon parfumé et huiles à bronzer ! Nous, pour notre toilette, nous utilisons l'eau du bassin et le savon de Marseille (on ne peut pas dire qu'il embaume !). Et pour bronzer, nous n'avons besoin de rien : que notre peau soit blanche, dorée, cuivrée ou noire, peu nous importe. Nous n'avons personne à épater par la qualité de notre hâle, nous nous en soucions bien peu. D'ailleurs, notre vie au grand air fait brunir tout narurellement certaines parties de notre corps : le visage, les bras et les jambes. Jamais nous ne nous exposons davantage, la pudeur nous empêchant de relever nos jupes ou de quitter notre chemise. Mais eux se badigeonnent des pieds à la tête de leurs crèmes solaires et restent des heures, en maillot de bain, étalés en plein soleil, tantôt sur le ventre, tantôt sur le dos, un peu comme des saucisses sur le gril – que chaque centimètres de peau ait bien sa dose, surtout ! Une grande part de leur journée est réservée à cette occupation. Quelle perte de temps ! Il est vrai qu'ils n'ont aucune obligation. En fin de compte, ils doivent s'ennuyer beaucoup ? Ce qui ne nous empêche pas de les envier un peu, par moments, lorsque nous sommes débordés de travail.

Très vite, les trois plus jeunes des enfants Mathieu, surtout Yves et Blandine, en ont eu assez de cette vie d'inactivité. Petit à petit, ils ont pris l'habitude de se joindre à nous lorsque nous partons en champ aux moutons. Ils viennent surtout le soir, car le matin, ils font la grasse matinée. Ils sont ravis de courir après nos moutons (eux, par contre, n'apprécient pas toujours : plus moyen de manger en paix !), ça les amuse follement. Pour Yves et Blandine, c'est si différent de ce qu'ils connaissent, de leur genre de vie à la ville ! Ils ne nous accompagnent pas forcément tous les jours, mais seulement lorsqu'ils en ont envie, car, parfois, ils partent en excursion, ou descendent à la piscine, ou vont chez leurs cousins ; quand ils ne s'en vont pas à la cueillette des myrtilles pour la confiture, ou encore à la recherche de champignons : ayant le temps d'explorer la montagne, ils en connaissent tous les coins.

Bref, nous ne sommes pas leur premier centre d'intérêt.

Cependant, lorsqu'il y a de l'orage ou du brouillard, il nous arrive d'aller les appeler même le matin. Mme Mathieu se lève très tôt. Elle a toujours un tas de choses à faire. Alors, nous grattons à sa porte, malgré l'interdiction de Papa. Elle, de connivence avec nous, sait ce que cela veut dire. Elle réveille l'un ou l'autre de ses enfants, qui se lève aussitôt, bien qu'encore tout ensommeillé. Elle lui prépare deux grosses tartines qu'il met dans sa poche, et nous partons ensemble, à deux ou à trois, soulagés, rasssurés. Nous nous sentons plus forts, nous avons moins peur. Au fil des jours, leur présence nous est devenue précieuse.

Plus on est jeune, plus les relations établies sont simples et naturelles. Avec les enfants qui étaient de nos âges, nous fûmes de vrais amis. Les aînés se lièrent moins avec nous. Nous nous entendions bien, mais nous gardions une certaine distance, plus intimidés, conscients de nos différences, du peu que nous étions et de leur supériorité. Pourtant lorsque nous faisions des feux de camp, des veillées ou des montées au clair de lune, ils se joignaient volontiers à nous et tout se passait très bien.

Personnellement, je m'étais éprise de Geneviève. Elle était belle, grande, gaie, gentille. Elle était devenue mon amie. Lorsqu'elle est repartie à l'automne, pour ne pas revenir l'été suivant, j'ai ressenti un vrai gros chagrin, un grand vide. C'est de ce jour-là, je crois, que j'ai compris qu'il ne faut pas trop s'attacher aux personnes, car un jour elles nous quittent, elles s'en vont, et la blessure est profonde. Il faut aimer, mais sans jamais vouloir posséder. Comme j'ai été triste... En cachette, j'ai beaucoup pleuré : elle était « mon » amie, je l'aimais si fort ! Mais... ainsi en va-t-il de la vie, et des attachements tout au long des années, parfois solides comme le roc, parfois éphémères.

Mme Mathieu ? Alors, elle, elle fut vraiment ma providence. Elle nous aimait tous. Elle avait un cœur d'or, elle était généreuse, très bonne. Moi, elle me l'a dit bien longtemps après, elle m'aimait un peu plus que les autres, sans jamais montrer cette préférence. Elle aimait mes yeux bleus et mon air rêveur, mon silence et ma solitude, la sensibilité qui me rendait fragile.

Elle avait compris combien je souffrais de l'absence momentanée de Maman, et, en veillant à ne pas me gâter plus que les autres, elle savait poser sur moi un regard qui m'était un vrai baume. Son sourire, la douceur de sa voix, une petite attention... Parfois, lorsque je n'avais rien à faire, elle m'appelait, je venais m'asseoir auprès d'elle dehors, et nous discutions en tête-à-tête... Tous ces signes, je les recevais comme des trésors. Notre affection était réciproque, et elle, au moins, j'étais sûre de la revoir l'été suivant ! Quel réconfort elle fut pour moi ! quelle aide précieuse ! Qu'il est bon d'être aimé !

Dans ces lignes, je remercie de toute mon âme Mme Mathieu de ce qu'elle a été pour moi. Très peu d'adultes ont su comme elle m'approcher et me comprendre... Je lui garderai toute ma vie une tendresse et une reconnaissance profondes.

Un jour, pour Noël, elle m'a envoyé un foulard de nylon blanc avec des motifs bleu ciel en velours, gravés dans le tissu, et une bague ornée d'une perle de nacre blanche. Quel bonheur ! J'ai gardé plus de quinze ans le foulard, qui à la longue avait perdu tous ses motifs ; et la bague, trente-cinq ans après, je l'ai encore. Mme Mathieu est décédée depuis, mais une place de choix lui reste à jamais dans mon cœur.

Voilà, tels furent les Mathieu pour nous, mieux qu'une vraie chance, un don du ciel. Ils vinrent de très nombreuses années. Lorque ses propres enfants eurent grandi et adopté d'autres formes de vacances, Mme Mathieu resta fidèle au petit chalet, aussi longtemps que son âge et sa santé le lui permirent, y amenant d'autres jeunes, afin qu'eux aussi se revigorent au bon air pur de la montagne.

Depuis, les enfants Mathieu et nous avons très peu l'occasion de nous revoir, mais lorsqu'ils viennent à Saint-Gervais et que nous nous rencontrons, nous avons toujours beaucoup de joie à nous retrouver, à nous remémorer les souvenirs de notre enfance.

Toute différence est source d'enrichissement. Nous ne sommes plus intimidés, et nous n'oublions pas que, grâce à eux, à Mme Mathieu et aux plus jeunes (à Blandine, la petite dernière, surtout), nos saisons d'été furent tout ensoleillées.

LA PRIÈRE DU SOIR

Une soirée comme les autres, aux Combettes.

Notre souper est très frugal. Il est composé de pommes de terre cuites en robe, de tomme blanche, de lait battu et d'un grand bol de chocolat chaud. C'est délicieux. Nous nous dépêchons, car nous commençons à avoir sommeil. Le repas terminé, la table est desservie. Les bols ? Nous les laverons demain matin avec le reste ; pour ce soir, il se fait tard. Mais il y a une chose que nous n'omettons jamais avant d'aller nous coucher, quelle que soit l'heure, que nous soyons en famille ou plus nombreux : la prière du soir. Et toute personne qui partage notre toit est invitée, si elle le désire, à se joindre à nous.

Papa s'est levé, Huguette range le reste de tomme à la cave, Jeannine essuie la table. Papa demande :

– Êtes-vous prêts ?

– Oui, oui.

Alors, il ouvre la porte de sa chambre et nous y entrons. Il s'agenouille et nous l'imitons, mais tandis qu'il s'accoude sur le bord de son lit, la tête inclinée, appuyée entre ses deux mains, nous nous tenons bien droits.

– Bernard, c'est à toi, ce soir. (Car nous menons la prière chacun à notre tour.)

Et Bernard de commencer :

– Au nom du Père et du Fils et du Saint-Esprit, ainsi soit-il.

Il récite les actes de Foi, d'Amour, d'Espérance, d'Offrande, tandis que nous l'écoutons en silence. Puis ce sont le *Notre Père*, un *Je vous salue Marie*, le *Je crois en Dieu*, *Je confesse à Dieu*, l'acte de contrition suivi de trois *Je vous salue Marie*, auquel nous répondons tous ensemble. Il invoque alors les saints dont nous portons les prénoms : saint Maurice, sainte Lucienne, sainte Édith... Huguette... Marcel... Fernand... Louis... Solange... Jeannine... Michelle... Bernard... Chantal... Marie-Antoinette. Et à chaque invocation, nous répondons :

– Priez pour nous.

– Saints anges gardiens...

– Veillez sur nous.

Alors, d'un seul cœur mais à plusieurs voix, nous chantons une courte adresse à la Vierge Marie :

Bonsoir, Bonne Mère, bonsoir (bis)
De tes enfants c'est la prière du soir
Bonne Mère : au revoir,
Bonne Mère : bonsoir.

– Au nom du Père, du Fils et du Saint-Esprit, ainsi soit-il.

Nous nous relevons, nous pouvons aller nous coucher : Dieu veille sur nous.

Cette prière nous rassemble tous les soirs de l'année, du 1er janvier au 31 décembre. Que la journée soit bonne ou mauvaise, emplie de joies ou de peines, qu'il y ait eu entre nous une bonne entente ou des querelles (ça arrive parfois), que nous soyons aux Combettes ou à Beaulieu, jamais nous n'allons nous coucher sans prier tous ensemble et nous mettre sous le regard et la protection de Dieu.

Oh ! Parfois nous ne sommes pas très sérieux et le fou rire nous prend en son plein milieu ! Papa nous rappelle alors à l'ordre, mais notre indiscipline n'a pas beaucoup d'importance... Dieu aime le rire aussi ? Il ne peut pas se fâcher que nous soyons joyeux ? Souvent je pense qu'il faut qu'Il soit bien indulgent pour nous écouter tous ainsi, tels que nous sommes, en toute simplicité...

La prière terminée, nous embrassons Papa.

– Bonsoir... À demain...

– Bonsoir, bonne nuit, dépêchez-vous de dormir, demain il faut se lever tôt !

Une demi-heure après, le marchand de sable est passé, et nous avons tout grand ouvert la porte aux rêves.

Je crois que cette prière en commun tissait des liens profonds entre nous. Elle était une force qui soudait l'unité de notre famille, même si nous n'en avions pas toujours conscience.

Et je voudrais remercier nos parents de nous avoir donné cette richesse.

LES PLUCHES

Corvée de patates ou corvée de pluches... Vous pensez à l'armée, aux colonies de vacances ? Ajoutez les Combettes : ici, cette activité se taille une part solide dans notre emploi du temps quotidien.

La base de nos repas est constituée de lait, d'œufs et de fromage fabriqué sur place : la tomme. Des fruits ? Presque jamais. Maman nous monte quelques poires blanchet lorsqu'elles sont mûres, ou les premiers *croësons* qui tombent des pommiers, pour faire de la compote, mais c'est à peu près tout. De la viande et des légumes ? Pas très souvent. Le pot-au-feu du dimanche, nous le faisons durer un jour ou deux, selon la grosseur du morceau. L'absence de frigo ou d'endroit suffisamment froid ne nous permet pas de garder de la viande fraîche très longtemps : elle risque de « tourner », devenant toute visqueuse, ou de régaler les mouches, et non pas nous. Le reste de la semaine, nous n'en avons pas. Cela ne nous est d'ailleurs pas vraiment nécessaire, puisque laitages en abondance et œufs frais équilibrent notre alimentation. Il faut croire que ce régime nous réussit, car nous sommes en parfaite santé. Le médecin ne fait pas fortune avec nous !

Des légumes ? Maman nous en monte cinq ou six fois dans l'été, lorsqu'ils ont poussé dans notre jardin à Beaulieu. M. Jean nous en donne, de son jardin : des salades, des petits pois, quelques côtes de blettes, des queues de poireaux pour mettre dans la soupe (mais s'il n'y en a pas, on les remplace par des pissenlits ou des feuilles d'ortie, et c'est tout aussi bon !) Ah ! j'oublie : lorsque Huguette en trouve assez, des épinards sauvages qu'elle prépare avec de la crème fraîche... Un délice !

Donc, notre légume à nous, notre plat de résistance, notre légume-roi – non pas le préféré, mais l'utile, l'indispensable, l'irremplaçable, le bouche-trou, le coupe-faim, le quotidien –, c'est la patate.

Mais les pommes de terre, sauf celles que nous cuisons le soir « en robe des champs », je ne vous apprends rien, il faut les éplucher. Lorsqu'on est huit ou dix autour de la table, dotés d'un solide appétit aiguisé encore par la vie au grand air, imaginez la quantité ! On en consomme une grande bassine pleine tous les jours, soit sept ou huit kilos peut-être. Je ne me rends pas bien compte du poids, mais le volume me semble monstrueux.

C'est à nous, « les petites », que revient ce travail. Huguette ne peut vraiment pas trouver le temps nécessaire. Édith ? Elle se lève plus tôt que nous le matin pour la traite des vaches, aussi bénéficie-t-elle de certaines faveurs, par exemple elle se couche avant nous l'après-midi, évitant ainsi cette corvée. Chantal et Marinette sont trop jeunes pour savoir manier un couteau, ce serait dangereux pour elles. Bernard ? Il n'est guère plus âgé ; et puis, c'est un garçon, donc il ne fait pas les travaux des filles. Qui reste-t-il donc ? « Les trois petites » : Solange, Jeannine et moi.

Pourquoi ce surnom collectif donné à notre trio ? Parce qu'après les cinq aînés, nous sommes nées trois filles en quatre ans, trois inséparables. Nos âges rapprochés nous ont soudées pour faire front contre les grands. Nous faisons tout ensemble. Nous dormons dans le même lit, nous tenant par le ventre comme si nous avions peur qu'on nous sépare. Nous partageons tout – jeux, joies, peines, rires, travaux. Lorqu'on en voit une, on voit inévitablement les deux autres, que ce soit pour aller en champ aux moutons, descendre le bois ou... éplucher les pommes de terre. (Cependant, en ce qui concerne les corvées, et en particulier les pluches, si l'une de nous peut y échapper, elle ne rate pas l'occasion !)

Une heure de l'après-midi. Huguette appelle :

– Eh, les petites ! Vous pensez aux patates ?

Comme par hasard, des petites, il n'y en a plus ! L'une est au cabinet, l'autre au bassin, la troisième dans sa chambre.

– Solange, Jeannine, Michelle, dépêchez-vous !

Toujours pas de réponse.

En désespoir de cause, Huguette nous envoie Chantal, qui sait où nous trouver.

– Allez, il faut venir, Huguette vous appelle.

– Oui, oui, on arrive.

Nous sortons de notre cachette. Et voilà ! Les pluches ! Pas moyen d'y couper. Et pourtant, quelle corvée ! C'est un travail énorme, et nos mains sont encore très petites. Il y en a bien pour une heure. Au bout de quatre ou cinq patates, les enfants, en général, attrapent des ampoules. Pas nous : notre pratique régulière a fait pousser de la corne aux emplacements critiques, et ce cal, s'il déforme nos doigts, nous rend bien service. Il n'empêche que faire les pluches devient vite douloureux.

Je me précipite sur le ratelier des couteaux : qu'au moins, j'ai le meilleur ! Sur les trois ou quatre économes que nous avons, un seul coupe bien. Les autres mâchent la pomme de terre plus qu'ils ne la pèlent, il faut déployer plus de force et cela fait encore plus mal aux doigts. Remarquez, celle qui prend le bon couteau abat deux fois plus de besogne que les autres... Mais elle préfère encore ça...

Zut ! Solange m'a gagnée de vitesse. Et bien sûr, la première à trouver le bon couteau ne risque pas de laisser passer sa chance. Parfois même, à dire vrai, on se le met de côté avant le repas, pour plus de sûreté. Eh bien ! aujourd'hui, je ne l'aurai pas, tant pis pour moi. Ça m'apprendra à rêver du côté du bassin quand je sais le travail à faire.

Solange est déjà à la cave. Elle puise les pommes de terre qu'elle met dans une seille réservée à cet usage. Il faut éplucher le contenu de deux seilles au moins, pleines jusqu'à ras bord.

Jeannine va au bassin remplir une bassine, ainsi les patates jetées dans l'eau sitôt épluchées ne noirciront pas. Moi, je prends une autre seille destinée aux épluchures. Lorsqu'il y en a assez, Huguette les fait cuire pour les cochons : mélangées à du lait, ils les apprécient.

Nous nous installons, avec chacune un vieux tablier bleu attaché bien serré autour de la taille pour ne pas salir nos vêtements qui, propres ou sales, devront durer toute la semaine, jusqu'à la prochaine lessive.

Oui, la lessive est faite une fois par semaine seulement : le lundi lui est consacré. Bien sûr, il n'y a pas de machine à laver. Parfois, Maman descend le linge à Beaulieu. Mais d'autres fois, c'est Huguette qui le lave ici. Lavage, rinçage, étendage, repassage, quel travail ! Aussi, pas question de se changer à la moindre tache. Alors, nous faisons très attention.

À propos de linge, une petite anecdote ! Un jour, la lessive sèche sur le fil de fer tendu devant la maison. Les vaches arrivent. L'une d'elles, au passage, d'un grand coup de langue râpeuse, attrape un torchon, qu'elle se met à mastiquer consciencieusement avant de l'avaler. (Nous saurons – trop tard – qu'elle est très friande de linge fraîchement lavé.) Puis, revenant à la charge, elle tire sur une chaussette.

Nous, les petits, sommes tellement abasourdis que nous restons plantés à la regarder, sans un geste. Réussira-t-elle à l'avaler ? Un morceau pend au coin de son mufle, tandis qu'elle mâche la partie déjà engloutie.

Réagissant tout à coup, nous appelons Huguette, qui part en courant après la vache pour lui retirer la chaussette. Elle ne sort qu'une chose à moitié déchiquetée et toute baveuse. Nous ne pouvons retenir nos fous rires devant la mine d'Huguette.

La plaisanterie de la vache – même si nous n'y étions pour rien ! – nous a valu une bonne paire de gifles à chacun, pour ne pas l'avoir éloignée tout de suite du linge – oui, mais surtout, je crois, à cause du fou rire irrésistible qui nous tordait en deux. Quant à la vache, elle a reçu, elle, un bon coup de bâton, mais un de plus, un de moins, il ne comptait guère à côté d'un aussi bon festin !

Mais... revenons à nos patates. Nous nous asseyons, deux sur le banc le long de la paroi, et la troisième en face, sur un petit tabouret, la bassine d'eau entre nous, la seille d'épluchures d'un côté, celle des patates de l'autre. Nous en posons quelques-unes sur nos genoux, dans le creux de nos tabliers. Et en avant pour la petite musique du tranchant du couteau qui déshabille la pomme de terre.

– Oh, zut ! Ça m'a giclé dans l'œil.

Jeannine s'essuie le visage d'un revers de manche.

Lorsque la patate est épluchée, pour ne pas nous baisser, nous l'envoyons de notre hauteur dans la bassine d'eau. Éclaboussures. Protestations.

– Eh ! Pose tes patates doucement, autrement je t'éclabousse aussi !

– Fallait pas lancer la tienne avant !

– Oui, mais, moi, je suis trop loin !

La discussion dégénère en dispute. Huguette nous réprimande.

– Faites un peu moins de bruit, il y en a qui dorment !

– Justement ! Ils n'ont qu'à ne pas dormir !

– Tu veux une gifle ?

– Non.

– Alors, épluche et tais-toi.

Nous piquons du nez sur notre tablier. On continue en silence, malgré des regards sournois... Et les éclaboussures ne tardent pas à reprendre. Au bout d'un moment, on finit par en rire. Les habits mouillés sécheront bien !

– Huguette, la bassine est pleine. Ça suffit ?

On a peur du verdict, car il reste un peu de place libre.

– Oui, ça ira pour aujourd'hui.

– Youpi ! On a fini !

La famille Tuaz en 1954 ; Michelle est en haut et à droite de la photo.

Michelle, jeune adolescente devant la maison paternelle.

Les chalet des Combettes en été... et sous sa parure hivernale.

Le troupeau « d'Abondance » devant le chalet des Combettes.

Depuis l'alpage des Combettes la vue s'étend sur la vallée de l'Arve et la chaîne des Aravis.

Solange et son agneau préféré.

A l'alpage, la surveillance du troupeau occupait une grande partie de la journée.

Papa Tuaz et sa vache favorite, Oseille,
1er prix race d'Abondance.

Au sommet du Prarion le massif du mont Blanc se reflète dans le lac des Ardoisières.

Une partie du troupeau devant le « petit chalet ».

Les Combettes et le « petit chalet » ci-dessous.

Papa Tuaz conduisant le troupeau à la pâture.

Après une rude journée de labeur, la veillée reste un moment privilégié pour les gens de la « montagne ».

Dernière visite aux Combettes aux derniers beaux jours de novembre, avant le long silence de l'hiver.

Le massif du mont Blanc depuis le sommet du Prarion.

Les Combettes au printemps.

On se lève d'un bloc. On vide les épluchures dans la seille, on nettoie les couteaux, on les remet en place. Huguette part se coucher.

– Tu laves, je range, d'accord ?

– Non, j'ai déjà lavé hier.

– Oh la la ! Que tu es casse-pieds !

– C'est pas mon tour, aujourd'hui. Tu n'as qu'à le faire.

– Bon, bon, d'accord.

Jeannine se rend au bassin pour laver les patates, Solange range les seilles à la cave. Je remets les bancs en place et aide Jeannine à rapporter la bassine, qui est lourde, à la cuisine.

Puis on se lave les mains, on s'essuie le visage (les éclaboussures !). On quitte enfin les tabliers.

Nous nous observons d'un œil critique autant qu'inquiet : pas trop sales ? Non ? Alors, ça va.

Nous voilà rassurées et enfin libérées. Tout est en ordre. Réconciliées, nous montons dans notre chambre. Édith et Huguette dorment à poings fermés. Nous avons grande envie de leur chatouiller les oreilles ou les narines avec un brin de paille. Nous sommes toujours prêtes à chahuter, à faire des farces. Nous aimons rire, mais ce n'est vraiment pas recommandé à cette heure-là, sinon, gare à nous !

Aussi, fort sagement, en silence, nous nous couchons toutes trois. Nous protégeons nos bras et nos jambes avec le couvre-lit, à cause des mouches. Il ne se passe pas dix minutes, que nous dormons nous aussi du sommeil du juste.

LA BÉNÉDICTION DES MAISONS

Avant que nous quittions le catéchisme et l'école pour monter aux Combettes, M. l'abbé nous a promis sa visite sur l'alpage.

En effet, la tradition veut que, une fois l'an, le prêtre se rende dans tous les foyers de la paroisse pour bénir les maisons, ce qui lui permet en même temps de mieux connaître les familles. L'hiver, il donne la préférence au centre ville, aux bourgs ou hameaux pas trop éloignés ; l'été, aux habitations disséminées, parfois perdues loin en pleine nature. Il fait aussi la tournée des chalets d'alpage, à pied la plupart du temps. Il est très rare qu'on lui refuse l'entrée d'une maison : la majorité des gens, catholiques ou non, pratiquants ou non, ont le respect de l'Église et de ses représentants, et le sentiment du divin : en pays de montagne, devant l'immensité et la beauté de la nature, devant la puissance des éléments lorsqu'ils se déchaînent, les hommes se sentent tout petits et inclinent le front. Pour beaucoup de paroissiens éloignés de l'église, cette visite est la seule occasion de recontrer le prêtre, d'aborder avec lui divers sujets, pas seulement – ou même pas du tout – religieux.

Chez nous, bien sûr, la venue de M. l'abbé est attendue avec un fervent espoir. Chaque jour qui passe nous en rapproche. Aussi sommes-nous tout heureux lorsque nous le voyons arriver aujourd'hui, par un beau soleil radieux. C'est Bernard qui l'aperçoit le premier. Un peu effarouché, il court prévenir Papa. Alors, sur les talons de Papa, nous sortons tous pour l'accueillir.

Il sue à grosses gouttes, le dos de sa soutane est tout trempé. Mais sur son visage rayonne un tel sourire, une telle joie de nous rencontrer – d'être arrivé aussi, peut-être ! – que son effort trouve sa récompense.

– Bonjour, monsieur l'abbé.

– Bonjour, toute la famille... C'est loin, chez vous ! Il fait chaud... Mais quel bonheur de vous revoir !

– Entrez, monsieur l'abbé, venez vous asseoir et vous désaltérer. Nous aussi, nous sommes si heureux de votre visite, nous commencions à nous demander si vous nous aviez oubliés !

– Oh non, bien sûr ! Seulement il y a tant à faire, et Saint-Gervais est plein de touristes ! Il y a tellement de monde qu'on ne sait plus où donner de la tête. Mais je ne risque pas pour autant de vous oublier ! D'ailleurs, je suis là : ne vous l'avais-je pas promis ?

Oui, il est là ! Et nous sommes touchés de cette amitié qu'il nous témoigne. Nous la ressentons un peu comme si nous étions devenus uniques à ses yeux. Cette amitié, comme l'effort qu'il a fourni pour nous, nous réchauffe le cœur. Nous l'entourons de prévenances. Huguette lui apporte une serviette de toilette pour qu'il s'éponge le visage, et un gros gilet de laine à mettre sur son dos mouillé.

– Vous voulez que j'enfile ce gilet ? Mais vous allez me faire mourir !

– Mais non, monsieur l'abbé, c'est justement le contraire. Vous êtes si trempé, ce n'est pas le moment d'attraper froid !

– Attraper froid ? Par cette chaleur ?

– Oui, monsieur l'abbé, à l'intérieur, il fait frais, et d'autre part, en montagne, c'est comme ça ! Lorsqu'on transpire et que l'on s'arrête, il faut s'habiller. Il y a toujours des petits courants d'air qui passent et qui, sans cette précaution, vous glaceraient vite le dos, et alors...

Tandis que, docile, il enfile le gilet, Huguette fait chauffer le café, et Papa apporte la bouteille de goutte et deux petits verres.

– Vous prendrez bien un canard pour vous remettre, en attendant que le café soit prêt ?

Et il verse dans les deux verres une rasade de cette goutte odorante.

– Mmm... C'est de la bonne ! Elle sent bon !

– Oui, c'est de la « poire blanchet » ; pas mauvais, hein ?

Et tous deux dégustent à toutes petites gorgées.

– Eh bien ! ça réchauffe ! ça brûle jusqu'au fond de l'estomac !

– Ça fait réaction, surtout ; dans votre cas, c'est ce qu'il faut.

Puis Huguette lui sert un bol de café bouillant. Entre la goutte et le café, il ne risque pas d'attraper mal. Ne vous moquez pas, c'est si vite fait ! Et il faut tant de soins pour guérir, ensuite ! Nous, nous savons depuis toujours ces consignes de sécurité : lorsqu'on est en pleine transpiration (je dirais presque ébullition) et que l'on s'arrête, se changer si possible. Si on ne le peut pas, ne se découvrir en aucun cas, mais au contraire ajouter un vêtement sec et chaud. Il ne faut pas que le corps se refroidisse trop vite. Si l'on a soif, boire chaud, mais surtout jamais froid, et encore moins glacé. Autrement, gare à l'angine !

M. l'abbé est amusé par nos recommandations. Mais il connaît la prudence et la sagesse des montagnards, aussi accepte-t-il volontiers de s'y plier. Il sait que nous avons raison. D'ailleurs, très rapidement, il se sent tout à fait bien. Il sèche tout doucement, il « fume de chaud », et sa fatigue, comme la buée, s'envole.

Il prend des nouvelles de chacun et nous raconte la vie agitée de la ville. La nôtre est si paisible, en comparaison... Il semble qu'il y ait un monde entre ces deux façons de vivre.

Tandis qu'il discute avec l'un, avec l'autre, l'heure tourne. Le voilà complètement remis de sa montée. Bien entendu, malgré tout le plaisir que nous prenons à parler avec lui, il faut penser au but de sa visite. Alors, sans plus tarder, Huguette sort le cierge bénit de l'armoire où on le range. Il s'agit d'un gros cierge que l'on allume seulement en deux occasions précises : la bénédiction des maisons et les orages. En effet, lorsque nous nous sentons menacés par la férocité des éléments en fureur, c'est autour de sa flamme que nous disons notre prière.

M. l'abbé se prépare. Il déplie une étole, qu'il embrasse avant de la passer sur ses épaules. Il sort d'une pochette un bocal rempli d'eau bénite, un goupillon qu'il trempe dans le bocal, et un petit livre de prières.

Très attentifs, nous faisons silence. Nous suivons tous ses gestes sans en perdre une miette. Bientôt, il est prêt... et nous aussi. Alors, comme pour la prière du soir, nous entrons dans la chambre de Papa. Nous

nous agenouillons autour de lui, tournés vers le crucifix. Solennel, M. l'abbé commence la bénédiction. C'est Marinette qui tient le cierge allumé. Elle le porte bien droit, fixant la petite flamme de peur qu'elle ne s'éteigne si elle la quitte des yeux.

D'abord, M. l'abbé lit une prière demandant au Bon Dieu de protéger cette maison et tous ceux qu'elle abrite. Tandis qu'il tient le livre de la main gauche, son bras droit est tendu sur nous dans le geste de l'imposition, pendant tout le temps que dure la lecture. Bientôt, de cette main libre, il prend le goupillon gorgé d'eau bénite, et, tout en nous aspergeant abondamment, il trace dans l'air, dans les quatre directions, un grand signe de croix. Au même instant, chacun de nous reproduit sur lui-même ce signe de la croix. Puis il repose le goupillon, et, avant que nous nous relevions, il dépose sur chacun de nos fronts un nouveau signe de croix, en prononçant notre prénom, pour une bénédiction individuelle et un petit mot personnel.

Nous sommes émus et très impressionnés. Nous sentons qu'il se passe là quelque chose de grand, qui nous dépasse. La bénédiction finie, nous n'osons pas nous relever avant qu'on nous en donne la permission.

Maintenant, M. l'abbé range ses instruments. Il referme le bocal d'eau bénite, quitte l'étole, la baise avant de la replier très respectueusement, très soigneusement. Quand tout est remis en place, nous sortons de la chambre avec lui, remplis d'une force nouvelle. Alors, nous retrouvons notre langue.

Plus tard, après le goûter, lorsqu'il est l'heure pour M. l'abbé de repartir, il lui est bien difficile de se séparer de nous. Nous voudrions qu'il reste encore, qu'il continue à nous raconter... Mais son labeur l'attend – et nous avons le nôtre aussi ! Alors :

– Au revoir, monsieur l'abbé ; revenez nous voir !

– Au revoir, mes amis, je ne crois pas que je pourrai revenir, mais je vous reverrai tous à l'automne, ce ne sera plus bien long, je vous attends à mon tour. Soyez bons et priez pour moi.

Il part. Il se retourne et nous adresse un dernier signe de la main. Bientôt il disparaît, caché par un virage. Nous, nous restons encore un moment à regarder la route vide, sans bouger, sans rien dire, serrés les uns contre les autres, la gorge un peu nouée. Puis... au travail ! Le temps passe, et l'on n'a encore jamais rien trouvé de meilleur que le travail pour aider à dominer une émotion trop grande.

Papa a déjà enfilé sa tenue de traite, et comme une volée de moineaux, nous reprenons chacun le cours de nos occupations.

LA PINTADE

Lorsque nous *emmontagnons* aux Combettes, nous montons notre basse-cour. Elle se compose de plusieurs poules et d'un coq bien sûr, mais aussi et surtout d'une pintade.

La pintade, cet oiseau au plumage gris cendré, à l'air toujours effaré, se distingue par son cri particulièrement strident. Elle pond des œufs dont la coquille est si dure et si épaisse qu'on a peine parfois à les casser. (Prenez-en un dans votre main et essayez, à la force des doigts et de la paume – sans les ongles – de le briser : vous avez très peu de chances d'y arriver, pas même en vous servant de vos deux mains réunies.)

Donc, nous montons une pintade. Pour quoi faire ? Elle est chargée de veiller sur la basse-cour et sur nos petites bêtes, car en montagne vivent nombre d'aigles, d'éperviers ou de buses. Ils décrivent de grands cercles dans le ciel, toutes ailes déployées, planant sans aucun bruit sinon quelquefois un sifflement perçant qui trahit leur présence. Ils guettent de leurs petits yeux vifs et fureteurs ce qui se passe en bas, sur le sol, à la recherche d'une éventuelle proie. Nos poules et nos lapins, en liberté, sont autant de cibles de choix pour ces grand oiseaux carnassiers.

C'est alors que la pintade toujours aux aguets est très utile. Dès qu'elle aperçoit l'un de ces prédateurs, elle se met à crier si fort, avec une telle violence qu'en un rien de temps elle a donné l'alarme, ameuté poules et lapins, les avertissant du danger qu'ils courent s'ils restent à découvert. Aussitôt ils foncent vers un abri, les lapins dans leur cabane ou dans toute autre cachette, les poules, toutes tremblantes, sous l'auvent du toit de la maison. Les aigles en sont pour leurs frais. Avant que tout danger soit écarté, aucune de nos bestioles n'osera plus montrer le bout de son bec ou de son nez en dehors de sa zone de protection. La pintade a bien rempli son office.

Aujourd'hui, vers midi, nous entendons, très lointain encore, le sifflement aigu d'un aigle. Celui-ci semble être de belle envergure. Pour le moment, il plane très haut dans le ciel en traçant de larges cercles.

Notre pintade, attentive, commence à s'agiter, à courir dans tous les sens, en regardant là-haut l'endroit d'où vient la menace. Insensiblement, l'aigle perd de l'altitude et se rapproche en tournoyant au-dessus de la maison. Si on l'observe, on voit sa tête se pencher d'un côté et de l'autre de ses ailes. Puis il s'immobilise un instant pour mieux épier, avant de reprendre sa ronde infatigable.

– Ka ka ka ka kaaaack ! Ka ka ka ka kaaaack !

Notre pintade crie de toute son énergie, et aussitôt poules et lapins courent se mettre à l'abri. Elle reste seule à découvert pour détourner l'attention de l'ennemi. Elle s'écarte un peu de la maison afin de l'éloigner lui aussi. Quant à elle, elle trouvera bien une cache sous les sapins. Une pintade ne se laisse pas facilement attraper et au besoin elle saura se défendre !

Rassurés sur le sort de nos bestioles, nous nous mettons à table. Effectivement, bientôt, tout semble rentrer dans l'ordre. Nous n'entendons plus ni aigle ni pintade. Normalement, cela veut dire que l'aigle, découragé, est allé chercher pitance ailleurs et que la pintade n'est plus inquiète. Poules et lapins s'égaillent à nouveau dans la nature. Pour nous, le chapitre est clos.

Mais le soir, à l'heure de nourrir la basse-cour avant de l'enfermer pour la nuit dans le poulailler, surprise : la pintade manque à l'appel. Nous avons beau chercher partout : pas de pintade en vue.

– Elle ne se serait pas fait prendre par l'aigle, au moins ?

– Oh non ! Ce n'est pas possible. Une pintade n'est pas une proie facile !

– Oui, mais l'aigle avait l'air gros. Et elle, elle n'est plus là !

– Fouinez partout, elle a dû se cacher !

– Et si on ne la retrouve pas ?

– Mais on va la retrouver ! Il suffit de chercher. Elle est peut-être perchée dans un sapin ou un mélèze.

Mais nous avons beau nous époumoner en « pie pie pie » lancés dans toutes les directions, et agiter le grain dans la boîte en fer pour l'attirer, pas de pintade !

– Est-ce que l'aigle l'aurait eue quand même ?

– Oh ! Sûrement pas. Elle a dû se cacher et ne plus se risquer à sortir. Elle viendra demain. Pour ce soir, il est trop tard, elle ne bougera plus, même si elle entend nos appels. Rentrons.

Nous abandonnons donc nos recherches, pour l'heure inutiles. Demain il fera jour et la pintade reviendra.

*
**

Nous nous faisions des illusions : deux jours ont passé sans que nous revoyions la pintade. L'aigle a dû avoir raison d'elle, elle est définitivement perdue pour nous, pensions-nous.

Mais, à la fin de cet après-midi...

– Huguette, viens voir ! Vite !

– Qu'est-ce qu'il y a ?

– Viens voir : c'est la pintade !

– Elle est revenue ?

– Oui, mais elle a du mal à marcher !

Nous nous précipitons vers elle.

– Oh ! la pauvre bête !

Huguette se penche et la prend dans ses bras. Elle ne résiste plus. Elle est à moitié éventrée, déchiquetée, tout ensanglantée. Ses boyaux sortent de son ventre déchiré. Ses yeux tournent dans leurs orbites et son bec reste entrouvert.

– C'est l'aigle qui lui a fait ça ?

– Oui, sûrement.

– Elle va crever ?

– Oui. Mais tu vois, elle s'est tellement battue et défendue que l'aigle, pourtant bien plus fort qu'elle, n'a pu la vaincre : il l'a blessée, éventrée avec ses serres, sans pouvoir pour autant l'emporter ensuite dans son aire.

– La pauvre ! Comme elle doit souffrir !

Elle s'agite en effet dans les bras d'Huguette. Alors celle-ci la rapporte à la maison, la pose délicatement sur un vieux chiffon et lui donne à boire. La pintade, assoiffée et fiévreuse, avale goulûment l'eau qu'on lui glisse dans le bec. Puis, presque tout de suite après, elle ferme les yeux, émet un tout petit râle, et crève, à bout de souffrance. Son calvaire est fini. Car il s'agit bien d'un calvaire : depuis deux jours, elle se traîne et lutte, sans manger, sans boire, toute déchiquetée, pour revenir à la maison – ayant une telle confiance en nous que peut-être, croyait-elle, nous pourrions la sauver. Nous avons de la peine, mais nous sommes émerveillés du courage dont a fait preuve cet humble oiseau pour lutter, au péril de sa vie, et protéger ses congénères. Elle aurait pu elle aussi gagner un abri, tout simplement, puis revenir à la maison !

Nous avons voulu connaître l'endroit où elle avait mené son combat. À l'orée du bois, à plus de quatre cents mètres de la maison, nous avons trouvé des plumes et du sang : c'était là qu'avait eu lieu la bataille acharnée. Et elle avait parcouru tout ce chemin pour nous avertir de sa victoire et donner un gage ultime de sa fidélité.

Un peu plus tard, nous la déposons doucement au fond d'un trou que nous avons creusé pour elle. Nous pourrions la manger ? Oh non ! Certes, elle est abîmée, mais de toute façon nous n'en avons aucune envie. Pour son courage, elle mérite bien un enterrement digne d'elle.

Nul n'est trop petit pour que soit reconnue son importance. Chacun a sa noblesse et sa dignité. La petitesse vient davantage de la nature propre d'un être que de la catégorie à laquelle il appartient.

Pintade, par ta bravoure et ta souffrance silencieuse, tu nous a donné un touchant témoignage de la grandeur dont tu es capable, toi et ta race. Pour la leçon que tu nous a donnée aujourd'hui, sois remerciée : toute créature, si humble soit-elle, mérite admiration et respect. Nous ne l'oublierons pas.

MONSIEUR JEAN

Comment raconter notre vie à l'alpage sans parler de notre grand et précieux ami M. Jean ?

Depuis la mort de ses parents, il vit seul aux Plancerts, dans la vaste maison qu'ils lui ont laissée en héritage, et il est devenu un peu sauvage.

Lorsque Papa a acheté les Combettes, nous ne nous connaissions pas du tout. D'abord, il nous regarda un peu comme des intrus, nous observant de loin. Puis, pas à pas, après nous être bien étudiés, nous nous approchâmes les uns des autres, nous apprivoisant réciproquement. Un petit service demandé par-ci, un petit service rendu par-là, bientôt est née entre nous cette solide et franche amitié qui ne s'est pas démentie.

Dans nos pays de montagne, on n'accorde pas son amitié à la légère, au risque de se tromper de personne. Non, on préfère prendre le temps, bien se jauger. Et alors, une fois l'amitié donnée, elle ne se reprend plus. Elle est sincère, forte, respectueuse de l'autre ; elle est fidèle : c'est « à la vie, à la mort ».

Est-ce notre éloignement du monde qui nous la rend si précieuse ? L'existence rude et simple que nous menons, dépouillés de tout superflu, nous prédispose peut-être à vivre l'amitié avec plus d'intensité et de profondeur.

En tout cas, c'est ainsi que M. Jean est devenu notre meilleur ami.

Il travaille chez les uns ou chez les autres : il loue ses bras à la journée, mais chaque soir le ramène à son logis. Devant lui, seul là-haut, les soirées d'hiver s'étirent, interminables, égayées heureusement par sa chatte et son chien qui, fidèles, l'attendent au coin du feu refroidi. Imaginez donc sa joie, quand finit le printemps, lorsque la neige fondue cède la place à l'herbe tendre, de savoir notre *emmontagnure* toute proche. Nous sommes espérés comme le retour des hirondelles. Nous devenons la famille qu'il n'a pas, les enfants qu'il aurait aimé avoir.

Il sait tout faire et se transforme en menuisier ou maçon aussi bien qu'en électricien, jardinier ou cordonnier (combien de paires de chaussures ne nous a-t-il pas réparées !) Il est aussi homme d'intérieur, tenant sa maison rigoureusement propre. Il coud, repasse, fait la lessive, range, cuisine. À notre intention, il cultive un petit bout de jardin où il plante des légumes qu'il nous donne en presque totalité. Générosité très appréciée, car nos repas s'en trouvent variés. Chez lui, il met à notre disposition l'une de ses caves : nous y entreposons une partie des tommes que nous fabriquons, afin qu'elles mûrissent plus vite.

C'est lui aussi qui garde les pommes de terre que nous arrachons aux Combettes, à l'automne, avant de repartir, ce qui nous évite de les descendre à Beaulieu pour les remonter le printemps suivant. Elles passent l'hiver dans sa cave, où il ne gèle pas, et l'été d'après nous les reprenons au fur et à mesure de nos besoins. À une ou deux reprises, il faut dégermer celles qui restent en attente. Corvée qui ne me plaît pas du tout.

Par contre, j'ai une bonne raison d'aimer ces allées et venues entre les Combettes et les Plancerts : ce sont les gâteries que M. Jean prépare pour nous. Il sait que deux fois par semaine au moins nous venons chez lui pour déposer les tommes et prendre les légumes. Aussi, tous les jeudis matin, lorsqu'il descend faire son marché à Saint-Gervais, pense-t-il à nous. Il achète de ces délicieux biscuits vendus en vrac – un plein cornet – et aussi un ou deux paquets de qualité plus ordinaire. À chacune de nos visites (et nous arrivons en force : quatre, parfois !), nous avons droit au café noir (il n'a pas de lait, lui !), accompagné d'une belle assiette de ces succulents biscuits : il y a ceux au chocolat, les gauffrettes croustillantes, les ronds, les carrés, ceux en forme de cœur, ceux fourrés à la crème ou à la confiture... Tous meilleurs les uns que les autres... Quel régal ! Nous choisissons à loisir, de toute façon, M. Jean ne nous permet pas d'arrêter avant que l'assiette soit vide. Je crois qu'il a autant de plaisir à nous offrir ces douceurs que nous à les déguster.

Quant aux paquets, il les monte aux Combettes le dimanche soir : il en cache toujours un ou deux dans sa poche de veste. Il connaît notre gourmandise – nous sommes des enfants – et il sait aussi que c'est une gâterie rare chez nous, alors il comble ce manque, et il est tout heureux de notre plaisir.

Le voyant fréquemment, nous le connaissons bien. Nous l'aimons beaucoup et lui portons une grande estime et beaucoup de respect. Notre jeunesse le fait rire souvent, la naïveté de nos propos comme celle de nos jeux l'amuse. Il se montre d'une gentillesse sans faille ; il peut être farceur, mais jamais méchant, nous traitant avec égards malgré notre jeune âge, veillant à ne nous blesser d'aucune façon. Nous avons pour lui une affection sincère, et il nous la rend bien.

Nous pouvons compter sur lui. S'il est près de nous aux moments de joie, il partage également nos ennuis – nos angoisses devant l'orage par exemple. Combien de fois, nous sachant seuls aux Combettes, puisque Papa était en champ au vaches, n'est-il pas monté des Plancerts pour nous rassurer de sa présence ! L'orage fini, il repart aussi discrètement qu'il est venu, tout naturellement, après avoir bu un grand bol de café noir, sa friandise à lui.

Il est là encore pour participer à nos travaux lorsque Papa a besoin d'aide, quand il a construit le petit chalet, entre autres : monter une charpente, c'est dur, et nos jeunes bras n'étaient pas encore assez solides, mais les siens, oui. Alors il est venu, offrant sa force et ses conseils. Je ne crois pas qu'il ait jamais accepté, en échange de son travail et de ses bontés, d'autre paiement qu'une place dans notre cercle familial. Nous l'offenserions gravement en insistant pour lui donner de l'argent. Réciproquement, il sait faire appel à nous avec la même simplicité, et nous lui rendons service tout aussi gratuitement. Entre nous, l'entraide est sacrée, jamais prise en défaut, dans un sens comme dans l'autre.

Pour M. Jean, nous sommes un peu sa famille de prédilection, en tout cas, sa famille de cœur. Très souvent, le dimanche, il s'assied à notre table pour le repas de midi. Puis, discret, il repart après goûter pour nous laisser nous occuper des bêtes. Et il remonte le soir. Sans M. Jean, un dimanche, une fête, une veillée n'auraient peut-être pas tout à fait l'air vrais.

M. Jean, c'est aussi l'homme d'une grande passion : la chasse. Lorsqu'arrive l'ouverture, à la mi-septembre, on le voit sillonner forêts et champs : fusil en bandoulière, ceinturon serré à la taille, rempli de cartouches aux couleurs différentes selon le calibre, veste spéciale avec gibecière dans le dos (elle remplace avantageusement la musette, qui parfois s'accroche aux branches, dans les sous-bois), gros brodequins de cuir (il faut avoir le pied sûr), mégot éteint aux lèvres (pas le temps de le rallumer !). Il va d'un pas furtif, sans bruit, essayant de se dissimuler, de passer inaperçu pour mieux surprendre le gibier. En effet, les animaux gardent toujours l'oreille aux aguets et le moindre bruit les fait déguerpir. De M. Jean ou du gibier, lequel des deux se camoufle le mieux, lequel des deux guette l'autre ? On pourrait se le demander.

Depuis longtemps, M. Jean observe les animaux ; il connaît leurs cachettes. Lorsque vient la saison de la chasse commence le duel : lui et eux se mesurent à coups de raccourcis, de courses folles, usant de finesse, de ruse – avec, aussi, pour ce qui est de l'homme, du respect.

Oui, chasser est une science, un art. M. Jean aime la chasse. Pas tellement pour le plaisir de tuer, non, mais pour le plaisir du sport : rivaliser de discrétion, d'habileté avec un animal, le débusquer – lui laisser sa chance, aussi. En effet, contrairement à bien d'autres, M. Jean ne tire pas systématiquement sur tout ce qui bouge. Il épargne le lapereau imprudent, si peu en chair qu'une fois les plombs enlevés, il ne reste rien à manger, et la hase qui allaite sa portée, et la biche gracieuse, et toutes les femelles qui portent leurs petits ou viennent de mettre bas et ont charge de famille (sauf si elles sont nuisibles, évidemment).

Cela demande une connaissance réelle des animaux et une grande maîtrise de soi, deux qualités que possède M. Jean, chasseur émérite : il a l'œil vif, la détente rapide, le coup de fusil sûr. Il manque rarement sa cible. Pourtant les règles qu'il observe laissent aux deux camps des chances égales ; c'est le plus malin, le plus habile, le plus rapide qui l'emportera.

Personnellement, je ne comprends pas qu'on ait du plaisir à tirer sur les animaux. J'ai horreur de la chasse et des fusils. D'ailleurs, personne, chez nous, n'est chasseur. Moi, je voudrais que les bêtes n'aient pas peur de nous, qu'on ne leur fasse pas de mal, qu'elles viennent manger dans le creux de notre main. J'ai aperçu une fois ou deux une biche, un chevreuil : quelle légèreté, quelle grâce, quelle douceur ! Et les écureuils qui grimpent dans nos sapins, si jolis avec leur queue en panache, leurs oreilles pointues et leurs yeux malicieux, comment peut-on les viser ?

Oh, je voudrais tous les citer, ces hôtes de la montagne. Ils sont si beaux, si émouvants auprès de leurs petits, même ceux des espèces que je redoute – les coqs de bruyère en habit noir et rouge, leur poule protégeant la couvée, les gélinottes, les perdrix craintives qui se fondent dans l'herbe des taillis, les blanches hermines, les renards astucieux et retors, les blaireaux qu'on appelle *tassons* (quel mot amusant !), les lièvres aux bonds fantastiques, la belette sanguinaire, la martre rapide, la marmotte au sifflement strident, le sanglier suivi de sa laie et de ses marcassins, les grives gourmandes se régalant du fruit des sorbiers, les geais criards aux magnifiques plumes bleues, les éperviers friands de nos poules ou lapins...

Qu'on tue les aigles, les sangliers, les ours, les loups, les belettes..., nous voulons bien : ils sont méchants et nous en avons peur. Mais toutes ces autres pauvres bêtes, gentilles et qui ne font de mal à personne ? Si Papa tue parfois un mouton, une poule ou un lapin, il le fait toujours par obligation, pour nous nourrir, ce n'est pas pareil.

Quant à M. Jean, que fait-il de son gibier ? Peut-être le mange-t-il ? Je crois plutôt qu'il le vend : il faut bien vivre, et, à nos yeux, ça excuse un peu la barbarie. En tout cas, il ne nous l'offre jamais – sauf une fois, un petit écureuil pour Huguette. Délicatement, elle l'a déshabillé de sa peau, et, une fois dépouillé, elle a fait cuire sa chair au goût de noisette. Quant à sa peau, elle l'a remplie de fines brindilles de foin, l'a recousue ; ensuite elle l'a installée sur une branchette, a fixé une pomme de pin entre les pattes avant : ainsi, on sentait moins que c'était un petit écureuil mort. Elle le garde depuis très longtemps déjà, elle dit qu'elle le gardera toujours.

Au fil de ses randonnées, M. Jean trouve de beaux champignons. Il les connaît bien et sait les endroits où ils poussent. Il nous en apporte souvent.

Voilà M. Jean, cœur tendre sous des apparences parfois un peu rudes. La vie ne lui est pas toujours clémente, mais lui a des tendresses pour la vie et pour ceux qu'il aime.

Lorsque l'automne arrive, la tristesse l'envahit. Et quand à la *démontagnure* nous passons devant chez lui, il vient nous dire au revoir au bord du chemin... et je l'ai vu pleurer en silence. Tandis que nous continuons la descente, il reste planté là, digne dans son chagrin, nous faisant de grands signes d'une main, et essuyant de l'autre ses yeux et son nez, sans fausse honte. Nous nous retournons, pleurant nous aussi, jusqu'au virage qui nous sépare pour de bon. Chaque fois, notre départ est un crève-cœur, et notre plaisir de redescendre s'en trouve gâché. Mais qu'y faire ? La joie, la souffrance, il faut de tout pour faire une vie, et nous le connaissons bien, ce mélange de rires et de larmes. Nous pressons M. Jean de venir nous voir à Beaulieu. Mais quand il le fait (quelques fois seulement), rien n'est pareil. Le charme est comme rompu : M. Jean devient gauche, mal à l'aise. Il lui arrive de descendre nous aider, mais, le travail fini, il repart dans le crépuscule vers sa montagne – sa lumière à lui –, attendant le prochain printemps, notre prochain retour.

Alors, mieux vaut dire, quand notre temps à l'alpage est fini : au revoir, M. Jean, nous ne vous oublierons pas... À l'année prochaine...

1956

LA NAISSANCE

– Allez, Poupette, un peu plus vite !

Comme chaque jour, je conduis mon troupeau en champ au Prarion. Mais Poupette reste à la traîne. Il est vrai qu'elle est devenue énorme : ses amours avec son beau mouton aux yeux cerclés de velours noir n'ont pas été stériles... Elle a l'air bien fatiguée. Parfois, comme exténuée, elle s'arrête, et il faut la pousser.

– Allez, Poupette, hue ! Tu vois ce que c'est de batifoler ! Après, on ne peut plus marcher.

Je l'aide un peu de temps à autre, je l'encourage :

– Ça y est, Poupette, on arrive. Si tu es tellement fatiguée, tu vas pouvoir te reposer.

Le troupeau semble comprendre l'épuisement de Poupette. D'eux-mêmes, les moutons ralentissent le pas. Au Prarion, ils restent sur place à brouter, sans s'éloigner comme d'habitude. On dirait qu'ils attendent un événement. En ce cas, ils en savent plus long que moi ! Poupette s'est couchée. Elle étire ses pattes comme si elle souffrait de crampes.

– Bèè... bèè... bèè...

Que veut-elle me dire ? Je ne comprends pas bien. Au bout d'un petit moment, elle se relève et commence à brouter, mais du bout des babines... Puis elle se recouche.

– Allons, Poupette, mais qu'as-tu donc ? Tu es malade ?

Poupette s'étire à nouveau. Son corps est parcouru de frissons. Elle bêle d'un air plaintif.

– Ma pauvre Poupette, tu as l'air d'avoir très mal. Tu veux du sel pour te redonner du courage ?

Mais Poupette refuse. Soudain, elle se met à pousser de toutes ses forces.

– Ah, j'ai compris ! Tu vas faire tes petits agneaux ! Tu vas avoir tes bébés !

Elle me regarde de ses grands yeux confiants et ses doux bêlements ressemblent à un acquiescement.

– Alors, je reste avec toi. N'aie pas peur : je suis là.

En fait, je ne suis pas rassurée. Lorsqu'il y a des naissances chez nos animaux, quatre-vingt-dix fois sur cent les choses se passent bien et les bêtes mettent bas toutes seules. Sinon, c'est Papa qui s'occupe d'elles. Aujourd'hui, je suis seule avec mes moutons, sans aucune expérience, sans personne à appeler à mon secours.

– Ma pauvre Poupette, il faudra que tu te débrouilles. Tout ce que je peux faire, c'est rester près de toi.

Elle lèche ma main comme pour m'excuser et me dire :

– Je sais, ne t'inquiète pas, ça ira.

Elle pousse à nouveau de toutes ses force... et il sort d'elle une grosse boule pleine d'une eau jaune et visqueuse. Au contact des petites herbes piquantes, elle se perce, se vidant par terre de son contenu.

– Mais qu'est-ce que tu fais ? Il n'y a pas d'agneau ?

Une lueur moqueuse au fond de ses yeux me répond :

– Attends, attends donc ! Ça va venir. Patiente un peu.

– C'est la première fois que j'assiste à une naissance, Poupette, je ne sais pas. Je peux juste te regarder, te caresser, te murmurer des paroles d'encouragement.

– Han... han... aann...

Encore une poussée violente... Et voilà deux minuscules sabots qui apparaissent.

– Oui, Poupette, ça vient, allez, pousse encore.

Comme si elle me comprenait, elle pousse de plus belle. Les pieds sont sortis, puis les genoux des pattes avant, et soudain un petit bout de nez tout noir, puis... Plus rien ! Poupette se repose un instant avant une nouvelle contraction. Le mignon bout de nez a disparu, happé dans son ventre. Restent dehors deux pattes fragiles.

– Doucement, Poupette, doucement, respire bien, reprends des forces, là, là, ma belle.

Elle frissonne et pousse à nouveau.

– Oui, vas-y, il est là !

C'est vrai, le bout de nez a pointé de nouveau et après une nouvelle poussée, la tête tout entière avec ses yeux fermés et ses deux minuscules oreilles bien allongées et collées sur son dos. Alors le reste du corps suit tout naturellement par cette brèche ouverte.

Soudain, j'ai sous les yeux un petit agneau entier, tout semblable à Poupette, robe blanche et lunettes noires assorties aux sabots. Il est enveloppé dans cette même poche qui tout à l'heure contenait les eaux. Il est tout gluant. Pour le libérer, Poupette croque de ses dents cette membrane. Toujours avec ses dents, elle coupe aussi le cordon ombilical, ce long fil sanguinolent qui le relie encore à elle, et tout heureuse, elle entreprend de faire la toilette de son petit à coups de langue rapides. Sous ces chaudes caresses, il ouvre les yeux.

Je suis submergée d'une nausée violente, à voir Poupette lécher sur son agneau ce mélange de sang et de liquide amniotique. J'ai envie de vomir. Elle, pas dégoûtée du tout, bêle amoureusement. Elle parle à son petit, le lèche, le retourne sur toutes les faces comme pour vérifier qu'il est bien vivant et bien formé.

– Bèè... èèè...

Un menu filet de voix : c'est l'agneau qui lui répond. Folle de joie, elle multiplie les coups de langue, passe son museau sous son ventre, et – hop ! – l'aide et l'oblige à se mettre debout.

– Eh bien ! dis donc ! Poupette, tu es si pressée de le voir marcher ? Tu ne peux pas attendre un peu, qu'il soit plus fort ?

Amusée, je ris de voir l'agneau se démener. Je pourrais peut-être l'aider, mais je n'ose le toucher. Docile, il déplie ses pattes, essaie de se soulever, mais... pique du nez et retombe. Tant pis ! il recommence. Qu'il est drôle ! Poupette l'encourage de son mieux, et bientôt :

– Mais tu es debout ! Bravo, petit agneau ! Comme tu es beau !

Il est presque tout propre, à présent, débarrassé par sa mère des quelques lambeaux de membrane qui restaient accrochés à sa laine. Et, le soleil aidant, il sèche et se met à friser.

– Mes compliments, Poupette, tu as un beau petit. Mais qu'y a-t-il ? Tu recommences ?

Eh oui ! Poupette se recouche et se remet à pousser vigoureusement. Et soudain, un deuxième petit agneau est là, réplique parfaite de son frère. Il est sorti beaucoup plus facilement. Bêlements tendres, coups de langue pressés, Poupette reprend son manège. Les deux petits agneaux se retrouvent bientôt secs et propres. Ils titubent sur leurs pattes trop longues et si frêles. Ça plie, ça penche..., mais ça tient debout. Alors, déjà affamés, ils cherchent la mamelle. Lorsqu'ils l'ont trouvée, ils s'y accrochent et tètent goulûment le bon lait qui coule en abondance. De plaisir ils agitent leur petite queue dans tous les sens. Poupette roucoule de bonheur, les léchotte à tour de rôle : pas de jaloux ! Elle semble avoir complètement oublié sa souffrance et être toute à la joie de câliner ses deux petits. Quand, rassasiés et fatigués, ils se couchent dans l'herbe fraîche, Poupette broute autour d'eux en leur murmurant des bêlements attendris.

Lorsque vient l'heure de rentrer, ils sont si fragiles et si hésitants encore sur leurs pattes que, bravant ma répugnance, j'en prends un sous chaque bras, évitant de toucher à ce cordon qui pend. Poupette me suit en bêlant : je crois qu'elle me remercie de les aider et qu'elle leur recommande de se tenir tranquilles : ils ne risquent rien.

J'arrive aux Combettes triomphante. Toute la famille accourt pour admirer les nouveau-nés. Je les dépose dans un coin du parc, un peu à l'écart, et bientôt tous trois sont endormis. Je peux alors attraper le savon à la maison pour me laver abondamment au bassin.

Au repas de midi, les questions pleuvent sur moi. Je raconte en détail le grand événement, bien fière d'en avoir été témoin. Mon haut-le-cœur passager est oublié. J'ai presque autant d'importance que Poupette. Et comme les émotions, ça creuse, je dévore de bon appétit.

*
**

Pendant un ou deux jours, j'ai encore un peu porté les agneaux pour les aider à monter au Prarion. Mais ils se sont vite débrouillés seuls et se sont mis à danser de folles sarabandes autour du troupeau, grisés d'air pur, rassasiés de bon lait et de l'amour de leur mère, épris de liberté dans ces vastes espaces – ivres de joie de vivre !

LA PUNITION

Édith est furieuse !

– Combien de fois faudra-t-il vous dire de vous occuper de vos affaires, et de ne pas fouiller dans les miennes ? Qui a mis son nez dans ma boîte et touché à mes lettres ?

Aucune réponse. Elle s'énerve de plus belle :

– Qui est-ce ? Vous allez le dire, oui ou non ?

Toujours pas de réponse.

Nous sommes – Solange, Jeannine et moi – accotées au lit dans notre chambre, face à Édith qui vient de se rendre compte de notre indiscrétion. Elle en est toute rouge de colère !

– Si vous ne voulez pas le dire, vous serez punies toutes les trois !

Mais elle se cogne à un mur de silence : pas une de nous n'ouvre la bouche.

Édith est amoureuse. Elle est la seule ici à recevoir du courrier. Nous brûlons de curiosité : quel effet cela fait-il, de recevoir des lettres d'amour ? Pour le savoir, nous sommes bien obligées d'être indiscrètes, car, évidemment, ce n'est pas Édith qui nous renseignera !

– Pour la dernière fois, allez-vous me dire qui a fouillé dans mes affaires ?

Eh bien, non ! nous ne dirons rien. Si punition il doit y avoir, autant la supporter toutes les trois ensemble, ce sera moins pénible. Et puis, en fait, nous sommes bien toutes trois compromises dans ce crime.

– Vous l'aurez voulu !

La vue des vieilles chaussures rangées sous le lit doit inspirer Édith, car nous voici bientôt agenouillées, les bras en croix, et, comme si cela ne suffisait pas, avec une socque au bout de chaque bras. Essayez pour voir !

Au début, nous le prenons à la rigolade. Mais très vite, la position devient insupportable. D'abord, nous avons tendance à perdre l'équilibre, et il nous faut sans cesse nous remettre à l'aplomb, pour ne pas piquer du nez et basculer sur notre voisine. Puis, c'est incroyablement lourd, ces vieilles galoches aux semelles de bois ! Les bras nous en tombent de fatique. Mais Édith surveille, inflexible :

– Vous resterez comme ça jusqu'à ce que vous disiez qui a touché à mes lettres.

Eh bien ! Nous ne sommes pas sorties de l'auberge. Car nous ne nous dénoncerons pas, bien sûr. Si la seule présomption de culpabilité nous vaut déjà une telle punition, que pourrait inventer Édith, si nous nous avouions coupables ? Nous sommes bien obligées de nous taire !

De terribles crampes nous mordent les bras, commencent à envahir tout notre dos. Combien de temps allons-nous rester ainsi ? Nous sommes au début de l'après-midi. Si seulement Papa ou Huguette avaient l'idée de monter ? Mais Papa est couché, et Huguette termine quelques bricoles à la cuisine.

La douleur nous envahit, devient franchement intolérable. Nos genoux ploient, écrasés. Nos bras s'épuisent. Des élancements nous parcourent de la tête aux pieds.

– Édith... On peut s'arrêter ? J'ai mal partout !

– Qui a touché à mon courrier ?

Silence encore. Nous ne céderons pas.

Depuis combien de temps sommes-nous ainsi ? Nous n'en avons aucune idée : nous ne possédons pas de montre. Ça nous paraît incroyablement long. Pourtant, il ne doit pas y avoir plus de dix minutes au total. Mais... Nous nous mettons à pleurer – toujours en silence.

Édith ne se laisse pas attendrir ni impressionner par nos larmes. L'offense est trop grande. Nous n'avons pas à pénétrer à son insu dans sa vie privée. Ce sont ses secrets à elle, pas les nôtres. Dans le fond, elle n'a peut-être pas tort, mais... ouille ouille ouille... que ça fait mal !

De plus en plus souvent, nos bras se baissent, et les godasses tombent. Même s'il nous faut les ramasser aussitôt, c'est toujours un petit peu de gagné et un soulagement, si bref qu'il soit.

Aussi têtues et fières les unes que les autres – nous ne sommes pas savoyardes pour rien –, nous ne dévions pas d'un pouce de notre ligne de conduite, pas plus Édith que nous.

Notre trio met tout son espoir dans la venue d'Huguette. Elle ne devrait plus tarder, maintenant ! Quant à Édith, levée depuis quatre heures et demie ce matin, elle commence à avoir les yeux qui papillotent. Attentives, nous entendons enfin craquer l'escalier et le plancher devant notre chambre. Huguette monte se coucher. Elle ouvre la porte.

– Mais qu'est-ce que vous faites comme ça ? À quoi jouez-vous ?

– On est punies. C'est Édith !

Elle se tourne vers Édith :

– Tu n'es pas un peu folle ?

Et de nouveau vers nous :

– Levez-vous et dépêchez-vous d'aller dormir ! Ce sera plus intelligent et plus utile.

D'un bond, nous sommes debout. Jamais nous n'avons mis autant d'empressement à obéir... et encore moins à nous coucher pour la sieste.

Sans demander notre reste, nous voilà toutes trois « rangées » sous le couvre-lit, laissant avec béatitude nos muscles crispés se dénouer. Il faut une expérience de ce genre pour nous faire pleinement apprécier les bienfaits de la position allongée.

Huguette houspille Édith :

– Qu'est-ce qui te prend ? Qu'ont-elles fait pour mériter ça ?

– Elles ont fouillé dans mon courrier.

– Eh bien, tu n'avais qu'à le ranger.

– Il l'était.

– Alors, cache-le !

Édith est désolée. Où cacher ce précieux courrier ? Nous n'avons pas le moindre petit coin personnel. Nous sommes cinq dans la chambre, et toutes les cachettes possibles sont régulièrement explorées par les unes ou les autres. Nous sommes toutes à la recherche de cachettes « inviolables » où abriter nos trésors. Solange, Jeannine et moi en avons trouvé une, c'est notre secret : dans une vieille baratte inutilisée, remisée tout au fond, sous notre lit. Pour l'atteindre, il faut se coucher par terre dans la poussière, au milieu des chaussures et des cageots d'outils – ce qui nous en garantit l'exclusivité. Qu'y tenons-nous caché ? Une plaque de chocolat ou un kilo de sucre en morceaux que nous avons chipés dans le coffre à provisions placé contre la paroi extérieure de notre chambre.

Ce coffre est en bois, étanche aux souris – mais pas à nous ! Et ce n'est pas un coffre ordinaire : il est gonflé de trésors comme la caverne d'Ali Baba. Lorqu'on soulève le couvercle (qui ne ferme pas à clef – erreur grossière !), on reste bouche bée devant une profusion de bonnes choses : paquets de pâtes, cornets de farine, bouteilles d'huile et boîtes de conserve variées, et surtout : cacao, sucre, chocolat et autres gâteries. Il est pour nous une tentation permanente. Lorsque les stocks viennent d'être renouvelés, nous nous disons qu'il n'y paraîtra pas, et il nous arrive de voler du chocolat ou du sucre ou un paquet de biscuits, et nous enfouissons notre larcin tout au fond de notre baratte secrète. Le soir, lorsque nous sommes couchées les premières, l'une de nous plonge attraper quelques morceaux de sucre ou quelques carreaux de chocolat que nous dégustons sous les draps avec volupté.

Nous savons que ce n'est pas bien, mais la gourmandise est une tentation si forte, et nous avons si peu souvent l'occasion de la satisfaire...

*
**

En tout cas, nous n'avons plus le monopole de disposer d'une cachette. Édith en a sûrement déniché une (peut-être pas dans la chambre, mais la maison est vaste !), car nous ne trouvons plus jamais de lettres !

La leçon a porté, pour elle comme pour nous.

Près de quarante ans ont passé. Qu'Édith se rassure. Depuis longtemps nous lui avons pardonné cette punition... méritée. Et même, son souvenir est souvent encore l'occasion de mêler nos rires.

L'inexpérience est un des charmes de la jeunesse. Sagesse, bonne éducation, discrétion, honnêteté, sens de la vraie valeur des actes ne viennent qu'avec la maturité de l'âge. Et nous n'étions pas alors pressées de grandir. Nous aurions toute la vie, plus tard, pour apprendre le bien et le juste !

Mais infliger une punition, quelle qu'elle soit, n'est-ce pas faire payer à autrui sa propre incapacité à obtenir l'obéissance et le respect ?

Il y a eu cette punition, et il y en eut bien d'autres. Nous étions loin d'être des anges ! Mais... tout cela n'était guère méchant ?

Que Dieu nous pardonne... Et Édith aussi !

EN CHAMP AUX VACHES

Ce soir, j'ai bien envie de grogner : c'est moi qui suis de corvée pour aller en champ aux vaches avec Papa. Bien sûr, lui, il a la bonne part : Tilou court à sa place ; mais moi ! pas moyen d'avoir un moment tranquille, pendant au moins deux heures. Assise ou debout dans un coin, j'ai un peu plus d'un côté de la suée à surveiller, et comme l'herbe défendue semble toujours la meilleure, je ne crains pas de rester les deux pieds dans le même sabot ! J'ai bien glissé un livre dans ma poche, mais savoir si je pourrai l'ouvrir !

– Oseille, nom de nom !

Eh oui, Oseille dépasse allègrement la limite, là-haut.

Je m'époumone. Elle avance toujours, imperturbable. Elle n'a pas peur, elle sait bien que Tilou s'active de l'autre côté et que, en ce qui me concerne, tant que je crie mais ne bouge pas, elle ne risque rien.

– Oseille !

Mais Oseille ne bronche pas, ne daigne pas m'entendre.

– Bon ! C'est comme ça ? Eh bien, tant pis pour toi ! Tu l'auras voulu !

Je fonce, mon bâton brandi droit devant moi, prêt à frapper.

Peine perdue : elle me veillait du coin de l'œil et lorsqu'elle m'a vue arriver, elle s'est bien vite détournée.

Je reste là. Inutile de redescendre dans mon coin. Ainsi je serai plus près si elle ressort, elle ou une autre.

Du coup, c'est Saturne qui, dans la lignée du bas, ravie d'échapper à ma surveillance, prend ses aises.

– Ah non ! Saturne !

J'ai beau crier, Saturne n'obéit pas plus qu'Oseille. Elle me tourne le dos. Alors j'affine ma tactique : je cours sans bruit, et vlan ! un coup de bâton bien administré la fait rentrer d'un bond dans le rang et lui coupe l'envie de ressortir – pour un moment, du moins !

– Non, mais alors !

Maintenant, je vais peut-être pouvoir sortir mon livre ? Pensez-vous ! voilà les moustiques qui s'en mêlent. Bzz... bzz... bzz... Et une petite piqûre par-ci, et une petite piqûre par-là... Sales bestioles ! Je claque mon bras. Ma victime gît en pièces détachées. Gagné ? Que non ! C'est sans compter avec sa nombreuse famille. Et bientôt ils sont appuyés par les troupes des petits moucherons, encore plus traîtres parce qu'ils attaquent sans bruit.

– C'est bon ! Pouce ! Je vais me couvrir.

D'ailleurs, avec le soir, il commence à faire frais. J'enfile mon manteau, enfonce mon bonnet sur mon front, remonte mes chaussettes jusqu'aux genoux. Je m'assois dans l'herbe, cache mes jambes sous mes jupes, et... enfin ! j'ouvre *La Grande Crevasse*, de Frison-Roche. Je le connais déjà, pourtant j'éprouve toujours autant d'émotion à le lire et le relire.

Tout doucement, le crépuscule descend. Moustiques et moucherons se sont calmés. Les vaches rassasiées paissent à présent dans les suées précédentes et montent lentement vers le chalet. Passionnée par ma lecture, j'ai quitté les Combettes et parcours la montagne en compagnie de Zian.

– Eh, Michelle ! Tu passes la nuit dehors ?

C'est Papa qui m'appelle. Je redescends de mes hauteurs et reviens sur terre.

– Oui, oui, j'arrive.

Évanouis, les espaces glacés où j'errais au fil de mes rêves. Un frisson me parcourt. C'est vrai, il fait presque nuit autour de nous, même si le ciel resté lumineux me permettait encore de lire. Je ferme mon livre, le remets dans la poche de mon manteau, et rejoins Papa.

– Alors, c'est bien, *La Grande Crevasse* ?

– Oh oui ! Merveilleux !

– Pour un peu, tu en oublierais de rentrer !

– Mais non ! Il fait *tout nuit*, d'ailleurs. Quelle heure est-il ?

– Neuf heures, on va bientôt y aller.

Les vaches arrivent à la maison. Elles vont boire au bassin, puis Huguette allume l'écurie – c'est le signal. Une à une, elles gagnent leur place. Papa les attache au fur et à mesure : il passe ses deux bras autour de leur cou pour attraper les deux brins de la corde et les nouer. On dirait qu'il les embrasse chacune à leur tour pour leur dire au bonsoir. Moi, je veille à la porte de l'écurie pour qu'elles n'entrent pas toutes à la fois.

Édith et Solange ont déjà rentré les moutons dans le parc. Il est vingt et une heures trente. La nuit s'est faufilée partout, mais elle scintille de millions d'étoiles.

Je regagne la cuisine par l'extérieur en faisant le tour de la carrière. J'ouvre la porte. La lumière m'éblouit.

La table est mise. Je pose mes vêtements au portemanteau.

Qu'il est bon de nous retrouver tous rassemblés, bien au chaud, en sécurité, à l'intérieur de notre chalet.

À coups de bousculades et de rires, nous prenons place autour de la table :

– Allez ! Pousse-toi un peu !

– Là, là... Il y aura de la place pour tous !

Volubiles, nous racontons les péripéties de la journée, pendant que Huguette, placide, nous sert le souper.

FEUX D'ARTIFICE

14 Juillet 1956.

Partout dans la vallée, c'est la fête.

J'ai douze ans et je suis un peu triste malgré moi en entendant les gais flonflons que le vent nous apporte, complice. Nous avons grande envie de descendre pour participer aux festivités, de nous mêler à tout le monde – gens du pays et touristes. Mais le travail, comme toujours, nous visse aux Combettes et nous avons parfois un petit serrement de cœur à être ainsi tenus à l'écart.

24 juin : la Saint-Jean ;

14 Juillet : la fête nationale ;

25 juillet : la Saint-Jacques (patron de Sallanches) ;

15 Août : l'Assomption de Marie.

Quatre dates de l'été – quatre fêtes, religieuses ou profanes, chacune rehaussée de feux d'artifice, les municipalités veillant à les organiser avec panache. Rien d'extraordinaire, en soi. Mais dans nos campagnes ou nos petites villes, et à nos yeux de montagnards, cela prend tournure d'événement.

À ces occasions, il nous arrive de faire un feu de camp ou une veillée. Mais parfois aussi, nous sommes seuls, lorsque les amis ou la famille préfèrent rester en bas, trop fatigués du travail des foins, ou manquant de temps.

Quand nous songeons à ces fêtes (et à celle des Guides, ou celle de l'Alpe, ou à toute autre kermesse paroissiale), il nous prend parfois le regret d'être perchés si haut, si loin de tout. Nous sommes jeunes, pétillants de vie, nous aimons rire, chanter, danser, être là au milieu de la foule en liesse, ou même simplement regarder, car il est vrai que la timidité nous interdit toute manifestation extérieure.

Oui, comme tout le monde, nous aimons les fêtes. Mais nous n'avons pas la situation de tout le monde.

Nous sommes aux Combettes, et les autres, dans la vallée. Et aujourd'hui, je trouve qu'ils ont de la chance.

Cependant, il n'est pas dans nos habitudes de nous laisser aller à la nostalgie trop longtemps. Cela ne sert à rien, sinon à nous rendre bien tristes. Or, nous savons, tout jeunes que nous soyons, que la tristesse est toujours mauvaise conseillère, qu'il ne faut pas accueillir sa compagnie. Notre vie est ainsi – à quoi bon pleurer ? Nous le savons... Alors ?

D'ailleurs, ceux d'en-bas ont leurs amusements, leurs distractions. Mais en fait, ces avantages ne sont-ils pas assez superficiels ? Quant à nous, nous avons ausssi nos richesses, qui, pour être plus profondes, plus cachées, n'en sont pas moins réelles et valent bien leurs plaisirs.

Qu'est-ce que j'appelle nos richesses ? L'amitié, l'amour familial, la jeunesse, la joie. Tout cela réuni fait que, ce soir, nous ne serons ni seuls ni tristes – même si personne ne doit nous rejoindre de la vallée.

En ce moment, Jérôme est occasionnellement aux Plans (à un kilomètre à peu près en dessous des Combettes) avec sa mère et sa fille. Ils font les foins. M. Jean, bien sûr, est aux Plancerts. Vont-ils rester dans leur coin ? Non pas ! Et vers huit heures et demie, ils prennent ensemble la route des Combettes. Ils montent tout tranquillement dans la douceur de la journée finissante : ils ont le temps. Lorsqu'ils arrivent, une demi-heure plus tard, nous venons de rentrer les vaches et les moutons. Nous entrons tous ensemble dans la cuisine.

– Bonsoir, Maurice ; bonsoir, le Grand-Père, bonsoir, tout le monde ! On ne vous dérange pas ?

– Bonsoir, bonsoir ! Bien sûr que non, vous ne dérangez pas ! Au contraire : soyez les bienvenus. Entrez, entrez, venez vous asseoir. Vous partagerez bien notre repas ?

– Oh, merci bien ! Mais nous avons déjà soupé.

– Ça ne fait rien, vous recommencerez avec nous ! Vous reprendrez bien un petit quelque chose ?

– Eh bien, ça n'est pas de refus. Mais juste un petit peu, alors.

– Installez-vous, il y a de la place pour tous.

Et Papa s'enquiert :

– Alors, Jérôme, ces foins, ça avance ?

– Tout doucement ! Mais aujourd'hui on n'y a pas touché : c'est dimanche. Ça fait du bien de s'arrêter.

– Tu as bien raison ! Demain, il y aura encore le temps ! Il fait grand beau... Ça ne risque rien.

– Il y aura des feux d'artifice, ce soir. On est montés les voir, la vue est meilleure d'ici.

– Vous avez bien fait. Mais il fait encore trop jour. Ça va commencer dans un moment. On a le temps de souper tranquillement.

Le repas fini, la cuisine rangée, nous enfilons chacun un gilet ou une veste, et nous sortons. Il fait tout nuit, mais le ciel criblé d'étoiles est en habit de fête.

Papa, Parrain, la maman de Jérôme, M. Jean et Jérôme prennent des sièges, tandis que nous nous asseyons par terre ou restons debout. Marinette se cale sur les genoux de Papa. Ainsi installés sur le petit muret en dessus du bassin, nous bavardons. En attendant les feux, nous admirons les mille petites lumières de la ville, tout là-bas en bas.

Bientôt :

– Ouais, j'en ai vu un, à Sallanches !

– Je l'ai vu moi le premier !

– Encore un autre à Combloux !

– Papa, tu as vu ? Il y en a au plateau d'Assy !

Peu après, de partout fusent dans le ciel, avec force pétards, les fameux feux d'artifice.

– Encore un !

– Moi aussi, je l'ai vu !

– Tu as vu comme il monte haut, celui-là, avant de s'ouvrir !

– Zut alors ! Il a raté !

– Regarde l'autre, là-bas !

– Comme c'est beau !

– Tu as entendu le pétard ? Il était fort, celui-là !

Ce ne sont qu'exclamations de joie et d'émerveillement. Il faut pourtant dire, pour être honnête, que, vus d'ici, les feux d'artifice ressemblent plutôt à des poignées de petites fleurs lumineuses – il est vrai, « des fleurs de lumière, qu'on lancerait dans le ciel ». Mais, pour notre plus grand bonheur, les adultes jouent le jeu. Ils s'extasient autant que nous. Nos sommes tous redevenus des enfants, enthousiasmés par ces petits éclats de lumière multicolores pourtant si fugitifs, qui jaillissent un peu partout sur notre terre pour l'embellir encore.

Il ne nous faut pas grand-chose pour être heureux. Cela vient peut-être du fait que, vivant dans un monde de bonheur, nous sommes nous-mêmes « joie et bonheur ». Peut-être est-ce là de ces mystères dont Jésus a parlé en disant qu'ils seraient cachés aux grands, mais révélés aux petits ? Nous, dans nos montagnes, en contact continuellement avec une immensité et une beauté qui nous dépassent, nous restons tout humbles. Nous avons une conscience aiguë du peu que nous sommes. Aussi, n'étant pas prisonniers de complications – celles qui existent réellement et celles que l'on se crée –, il reste de nous seulement la joie et le bonheur d'être tout simplement là, et, ce soir, de regarder ensemble ces minuscules feux d'artifice. Bonheur décanté de tout à-côté superficiel, bonheur « ordinaire », sans prétention, mais bonheur vrai et profond quand même.

– Papa, y en a plus, des feux ? C'est fini ?

– Je crois bien que oui. C'était le bouquet final. Mais comme il n'est pas encore tard, on va faire quelques jeux.

– Youpi... oui...

– On a le temps de faire un *mille* (une partie de belote) ?

– Et nous, une partie de petits chevaux ?

– Et nous, de rami ?

– Bien sûr, si vous voulez... Huguette, il faut d'abord mettre coucher Marinette, elle tombe de sommeil.

De fait, la petite s'endort aussitôt en souriant aux anges, malgré le brouhaha de nos voix. Et la soirée se prolonge dans la joie partagée...

LE BROUILLARD, AMI ET ENNEMI

D'ordinaire, le brouillard à l'alpage, c'est vraiment l'hôte indésirable et redouté. Quand il s'installe aux Combettes, l'affronter seul, par exemple pour aller en champ aux moutons, déclenche en nous une peur viscérale.

Mais parfois (il faut bien pour être honnête que je le réhabilite un peu), lorque nous sommes en nombre et libres de disposer de notre temps, il devient notre ami, et, pour pratiquer certains jeux, je dirais même notre allié. À ces moments-là, nous nous amusons bien grâce à lui, au contraire. Il est comme un trait d'union entre nous, il nous soude dans un sentiment partagé de plus grande fraternité, de connivence, de solidarité – toutes vertus qui n'ont certes pas cours constamment dans nos jeux collectifs.

Quoi qu'on en dise, le brouillard est un élément qui remplit de trouble. Pourquoi ? Je vais essayer d'en décrire plusieurs aspects.

– Le brouillard isole. Vous avez beau être en compagnie, s'il passe une « tranche » de brouillard, elle vous sépare des autres et vous laisse seul. Pour peu qu'ils se taisent, même si vous vous trouvez à quelques pas d'eux seulement, vous ne les voyez pas, vous n'avez plus signe de leur présence. De même : vous êtes à quelques mètres de la maison, et le brouillard s'infiltre entre elle et vous ? Vous voilà perdu, incapable de retrouver votre havre de sécurité. Lorsqu'il vous entoure ainsi, qu'il vous enclôt, vous ne situez plus l'est, où le soleil se lève... et vous perdez le nord ! Il n'y a plus d'en-haut ni d'en-bas, plus de bosses ni de creux, plus de relief. Le paysage devient uniforme. Vous ne pouvez plus vous orienter, vous filez à droite quand vous pensez aller à gauche, et vice versa : une vraie partie de colin-maillard.

Combien en avons-nous entendu, de ces « histoires vraies » de gens perdus dans la montagne à cause du brouillard et morts de froid à deux pas du refuge qui les aurait sauvés – alors même qu'ils connaissaient le coin comme leur poche ! Mais le brouillard avait dérobé les pistes, gommé tout point de repère.

Seuls les animaux, guidés par un instinct plus puissant que le nôtre, s'y retrouvent. Comment font-ils ? Mystère. Mais eux savent toujours où ils vont. C'est pourquoi, lorsque nous sommes en champ aux moutons et pris par le brouillard, nous ne nous éloignons pas d'eux : nous savons qu'à l'heure prévue du retour, ils nous ramèneront à la maison, les rôles étant provisoirement inversés.

– Le brouillard est mobile. Un moment ici, mais aussitôt après, disparu. Il peut ramper au ras du sol, ou s'élever en gerbe très haut dans le ciel. Comme doué de vie, il se promène inlassablement. Avec lui, vous jouez une partie de cache-cache – malheureusement c'est toujours lui qui la dirige, sans vous laisser aucune initiative. Il court devant, derrière, de tous côtés, et son plus grand plaisir est de vous affoler, de vous effrayer. Il est changeant, instable : floconneux parfois, avec des formes arrondies ; effiloché d'autres fois, accroché par-ci par-là comme un restant de plumes éparpillées par le vent.

– Le brouillard est glouton. Il avale sur son passage sapins, mélèzes, rochers, maisons, vaches, moutons... et nous-mêmes ! Choses, animaux, humains, tout lui est bon, que ce soit petit ou gros, immobile ou en mouvement. Son appétit est insatiable ; nous avons beau courir vite, il nous rattrape toujours.

– Le brouillard est un trompeur. Il semble fluide et sans consistance, mais il arrête le regard et feutre les sons ou même, à quelques mètres tout au plus, les stoppe. Seule la puissance des tonnerres parvient à s'imposer. Il semble insaisissable, mais parfois il est épais et compact au point d'en devenir palpable. Pourtant, si nous refermons les doigts sur lui, notre main reste vide, en dépit d'une sensation de froid et d'humidité.

– Le brouillard transperce et glace. On dirait de la pluie en suspens. Il est tellement chargé d'humidité qu'il mouille tout ce qu'il touche, laissant de minuscules perles de rosée sur l'herbe, le pourtour des sapins, la laine des moutons – sur nous enfin, nos cheveux en particulier. Ce n'est pas comme du givre, qui se solidifie au contact de l'air trop froid, mais c'est une pellicule d'humidité qui se dépose inexorablement, très froide, même si elle ne gèle pas.

– Le brouillard est silencieux comme la mort. Pas un bruit, pas une plainte n'annonce son arrivée. Il nous prend par surprise. Il envahit, il engloutit dans le plus profond, le plus mystérieux silence. Pas la peine de l'insulter : il ne répond pas. Il est plus effrayant que les fantômes, qui, eux, au moins, ricanent, paraît-il. Il est plus redoutable que la neige tombant en flocons serrés : sa blancheur muette ressemble à un linceul qui sépare plus sûrement du monde des hommes.

Mais fi de ces considérations pessimistes. Je lui dois aussi quelques fameux souvenirs de jeux : le brouillard fait bon ménage avec l'imagination des enfants.

Un matin, nous étions quatre gamins à rester à la maison : Solange, Jeannine, Bernard et moi. Le temps nous semblait long. Aussi :

– Huguette, est-ce qu'on peut aller jouer dehors ?

Huguette est responsable de nous. Il est vrai que nous ne risquons pas grand-chose, nous n'allons pas nous éloigner beaucoup ! Et elle aura la paix !

– Si ça vous amuse de vous geler...

– Et... Est-ce qu'on peut prendre une corde ? et aussi une petite sonnette ?

– Pour quoi faire ? Qu'allez-vous encore inventer ?

– Eh bien, on va s'encorder. Comme ça, on ne se perdra pas. Et puis tu nous entendras, tu ne te feras pas de souci.

Huguette se met à rire.

– Oui, oui, prenez, mais remettez tout en place, après. Et surtout, choississez une vieille corde... N'allez pas trop loin : le brouillard est vraiment épais. Et n'oubliez pas de revenir pour midi.

Aussitôt, c'est la débandade. Manteaux, écharpes, bottes. Sous l'auvent du toit de la maison, nous nous harnachons. Nous formons la cordée : la plus grande, Solange, en tête : elle sera le guide, celui que, bon gré mal gré, il faut suivre. Un tour de corde autour du ventre de chacun, la sonnette au cou de Solange... Nous voilà prêts. Ah ! une chose encore : nous empoignons chacun un bâton – si nous nous faisions attaquer par « des ours ou des loups »...

Nous commençons par longer les murs de la maison. Après, c'est l'aventure...

– On va jusqu'à la grosse pierre [à peine à deux cents mètres plus haut, au bord de la route], on dira que c'est le mont Blanc. Puis on ira dans la côte [juste en dessus de la maison], en exploration.

Le mont Blanc ? En vrai, il est si loin ! et nous sommes si petits ! Mais pour jouer « en faux », rien ne nous est impossible, ni interdit. Nous nous lançons dans l'inconnu. Sans passer par la route, bien sûr, ça ne paraîtrait pas assez véridique. Le premier de cordée nous guide à sa fantaisie – tours et détours, monter, descendre. Quand on s'est égaré, qu'il est bon ensuite de toucher au but ! Nous trébuchons, nous tombons ; c'est l'occasion de nous sortir d'effroyables crevasses. Nos yeux surveillent de tous côtés, « des fois qu'on apercevrait un chamois ». Nous tendons l'oreille pour capter le cri du choucas ou le sifflement de la marmotte. On a le cœur qui bat.

Mais à force de tourniquer, nous voilà vraiment perdus. Pas de « mont Blanc ». La peur se réveille : Bernard et moi nous mettons à pleurnicher, Solange et Jeannine tâchent de nous calmer. Et soudain, devant nous, une grande forme noire se découpe dans le brouillard. J'ai poussé un cri de panique :

– Un fantôme ! Un fantôme !

Je suis pétrie de peur.

Mais Solange a les pieds bien sur terre, elle ne croit pas aux fantômes. Courageuse, elle s'approche de la masse immobile.

– Le mont Blanc ! c'est le mont Blanc !

Aussitôt, rassurés, nous nous lançons à l'assaut de notre « toit du monde » [qui doit culminer à un mètre cinquante !]. Ce n'est pas très facile : le granit est mouillé, le rocher a une forme arrondie, les prises sont rares. On dérape, mais on se retrouve finalement au sommet. Victoire ! On chante un bon coup, on agite la sonnette en accompagnement...

Pour descendre, pas d'autre solution que de sauter. Solange s'élance dans le vide. Et une cascade de frère et sœurs lui tombe sur le dos : nous avions oublié la corde. Aïe aïe aïe... Pleurs... et grands éclats de rires : nous ne nous sommes pas faits bien mal, nous en serons quittes pour quelques bleus !

Mais on entend les cloches des vaches. Il doit être près de midi. Nous trottons à la cuisine, où nous ôtons nos vêtements trempés, entre deux fous rires que déclenchent nos têtes rosies, certes, mais tout échevelées. Bientôt Papa arrive à son tour.

– Eh bien ! D'où venez-vous comme ça ?

– Du mont Blanc, on revient du mont Blanc !

Il nous regarde, un peu étonné, mais devant nos visages heureux et nos explications qui s'entrecroisent, il rit lui aussi de bon cœur au récit de nos exploits.

Quel âge merveilleux que l'enfance, avec les mirages de l'imagination. Nous n'avons jamais été à court d'inventions pour meubler nos loisirs. Mais en purs montagnards que nous étions, c'était toujours sur la montagne que nous appuyions nos fictions. Point n'était besoin de jouets sophistiqués. La nature nous offrait des ressources inépuisables et elle était notre plus fidèle amie.

PIQUE-NIQUE À BELLEVUE

Aujourd'hui, c'est dimanche. Malgré l'heure matinale, Huguette a déjà fini de faire le beurre et la tomme. Elle est très en avance et chante en vaquant à ses occupations.

Édith est partie depuis longtemps en champ aux moutons, Papa, en champ aux vaches, chacun de son côté comme tous les dimanches. Solange et Jeannine sont à l'écurie en train de paler. Bernard, Chantal, Marinette et moi, levés depuis peu, sommes encore attablés devant notre petit déjeuner.

Tout en dégustant nos tartines, nous observons Huguette qui prépare le repas. Un drôle de repas : sans farcement ! C'est étrange !

Dans une casserole d'eau bouillante, elle plonge une vingtaine d'œufs dans leur coquille. Dans une autre casserole, elle met chauffer du lait, y ajoute une bonne tasse de sucre en poudre, deux ou trois poignées de raisins secs, quelques pruneaux. Quand l'ébullition se fait, elle verse en pluie fine la juste mesure de semoule, brassant avec la cuillère en bois pour éviter les grumeaux. La semoule cuite est versée dans un grand saladier dont, après refroidissement, elle ferme le couvercle.

Sur le coin de la table, elle rassemble un pain, une moitié de tomme, une grosse boîte de *corned-beef*, une plaque de chocolat, un paquet de biscuits, un thermos de café chaud déjà sucré, deux gourdes d'eau, une bouteille de cidre, deux timbales d'aluminium.

Leur curiosité piquée au vif, Chantal et Marinette, nos deux petites dernières, n'y tiennent plus :

– Dis, qu'est-ce que tu vas faire, avec tout ça ?

Elle rit en leur répondant :

– Vous verrez bien. C'est une surprise !

– Une surprise ? Chouette, alors ! Mais pourquoi ?
– Parce qu'aujourd'hui, c'est la fête de la Sainte Vierge.
– Ah bon ? C'est la fête de la Sainte Vierge ?
– Oui, nous sommes le 15 Août, et le 15 Août, c'est la fête de l'Assomption.
– Ah ? Qu'est-ce que ça veut dire, l'Assomption ?
– Vous n'avez donc rien appris à votre catéchisme ? Ça veut dire que la Sainte Vierge est montée au ciel.
Tout heureuse de les épater par son savoir, Huguette continue :
– Oui, elle est montée au ciel avec son âme et son corps.
– Nous aussi, on montera comme ça au ciel ?.
– Non. Nous, notre corps restera sur la terre. Seule notre âme montera au ciel.
– Dommage... On voudrait bien aller au ciel comme la Sainte Vierge !
Les voilà tout attristées ! Mais elle, imperturbable, de poursuivre :
– Le jour de l'Assomption, c'est une grande fête, dans le ciel et sur la terre. Dans le ciel, c'est fête pour le Bon Dieu, la Sainte Vierge, les anges et tous les saints ; sur la terre, pour toute l'Église et tous les enfants de Dieu. Comme on en fait partie, c'est fête aussi pour nous.
Leur joie est déjà revenue :
– Toutes ces bonnes chose, c'est pour ça ?
– Oui.
– Mais qu'est-ce qu'on va faire ?
– Devinez... On va pique-niquer !
Elles accueillent la nouvelle avec des cris de joie.
– Mais dépêchez-vous, parce qu'il faut nous préparer, et c'est bientôt l'heure de la messe.
– Et Papa et Édith ? Ils vont venir aussi ?
– Bien sûr ! Lorsqu'ils auront rentré les moutons et les vaches, ils nous rejoindront à la messe, puis nous monterons tous ensemble à Bellevue.

En un rien de temps nous sommes prêts, la porte fermée... Et en route pour le col de Voza ! Là, dans la petite chapelle, nous sommes tous réunis autour du prêtre pour participer à la messe et fêter Marie. En son honneur, le ciel s'est paré de son bleu le plus serein.

Nous chantons Marie à gorge déployée. Je l'imagine qui nous regarde et nous sourit du haut du ciel et lorsque mon regard se fixe sur sa statue, je vois bien au-delà d'une simple figure de bois. Marie, nous l'aimons « très beaucoup ». C'est Elle que nous prions lorsque nous avons peur, et aussi lorsque nous débordons de joie. Elle est près de nous dans toute notre vie, comme son Fils, et nous les prions tous deux de tout notre cœur.

Nous ne perdons pas un mot du sermon de M. l'abbé qui nous explique Marie. Marie source de joie, Marie notre espérance, Marie notre soutien, Marie avec nous... Et nous sommes bien d'accord avec tout ce qu'il dit. Cette instruction si précieuse complète celle donnée par Huguette ce matin.

Après un dernier refrain, nous sortons de la chapelle. Papa et Édith sont là. Depuis combien de temps ? Nous ne les avons pas entendus arriver, attentifs que nous étions à prier, chanter et écouter M. l'abbé.

Après avoir discuté un peu avec les uns et les autres tandis que nous faisons signer notre carnet, Papa reprend son gros sac à dos (c'est lui qui porte tout le pique-nique), son bâton, et se met en chemin. Notre petite troupe enthousiaste lui emboîte le pas : quel bonheur, de ne pas rentrer tout de suite à la maison !

Nous descendons d'abord au col de Voza. Puis, par une petit sentier très raide, nous remontons sur le versant opposé jusqu'à Bellevue, ancien refuge sur la route du Mont-Blanc, transformé en hôtel maintenant. Il est tenu par M. Paul, qui est notre proche voisin à Beaulieu. Ce n'est pas très loin, mais ça grimpe dur.

Nous cherchons un petit coin d'ombre pour nous installer. Un bouquet de sapins fera très bien l'affaire, et l'herbe, à son pied, est douce à souhait.

Discrets, nous ne nous approchons pas trop de l'hôtel. Là-bas, c'est bourré de monde, des *monchus*, des vacanciers – pas des paysans comme nous. Nous n'avons pas à avoir honte : notre mise est correcte, nous sommes propres et pimpants, tout endimanchés ; mais nous risquerions de les gêner car nous sommes nombreux et un peu bruyants, un pique-nique étant un plaisir rare chez nous. Puis, de toute façon, nous préférons rester à l'écart, entre nous, et savourer à fond notre joie.

Nous nous asseyons par terre. Papa pose le sac et Huguette commence à déballer nos victuailles. Ce ne sont que cris et exclamations de bonheur pendant que nous dégustons les œufs durs, si amusants à écaler. On mange d'abord le blanc, et lorsqu'il ne nous reste que le jaune, on le met d'un coup dans sa bouche, c'est drôle autant que délicieux et on sent mieux encore son goût merveilleux. C'est l'occasion de rire et de boire un bon coup de cidre mélangé d'eau pour faire descendre. Les timbales circulent de main en main. Puis : un sandwich au *corned-beef,* cette viande froide en boîte – ça change du pot-au-feu. Une bonne tranche de tomme avec du pain. (Nous ne mangeons jamais la tomme sans pain, nous n'en avons pas le droit. Bien sûr, s'il ne s'agissait que de nous, nous avalerions bien toute la tomme seule, prenant et reprenant de ce fromage qui fleure bon la montagne, jusqu'à plus faim ! Mais il n'y en aurait plus assez pour tous, et il ne faut pas être égoïste. Une certaine discipline, nécessaire, nous est imposée. Et en plus, ce serait péché de gourmandise.)

Vient ensuite le gâteau de semoule. Quel régal avec tous ces petits raisins et les pruneaux ! Huguette fait le partage. La semoule est devenue solide en refroidissant, et nous pouvons la tenir dans nos mains : c'est tellement bon de manger avec les doigts – nous irons nous laver après. Enfin, le clou de ce vrai festin : une grande barre de chocolat avec des biscuits, arrosés d'une petite goutte de café bien sucré, succulent.

Enfin repus, nous aidons Huguette à ramasser les restes et à les mettre dans le sac. Puis nos demeurons là un moment. Les uns s'amusent à courir : jamais fatigués ; les autres admirent le paysage, ou se reposent, tout simplement, couchés dans l'herbe rase. Quelle paix, quel enchantement !

Mais le temps passe vite, et à quatre heures, il faut être de retour aux Combettes. Allons, debout ! Nous vérifions que nous n'oublions rien, que nous laissons l'endroit propre. Et, Papa en tête, nous allons à l'hôtel dire bonjour à M. Paul.

Avec un petit détour pour éviter les estivants attablés, nous nous dirigeons vers la porte de la cuisine et frappons. M. Paul arrive. Il se montre heureux de notre visite, et nous fait asseoir à une table malgré nos airs gênés et nos protestations. Il apporte pour Papa un petit verre de goutte, et pour nous, les enfants : une bouteille de limonade avec un verre chacun. De la limonade ? Cette eau qui pique ? Nous n'en buvons jamais à la maison ! Les bulles qui dansent et pétillent nous ravissent, et nous dégustons à toutes petites gorgées ce breuvage rare. Si vous buvez trop vite, ça vous étouffe plus sûrement que le jaune d'œuf, ça vous coupe le souffle ! Mais que c'est bon et amusant !

Papa ne résiste pas à la curiosité : il pousse une petite pointe pour voir les bêtes à l'écurie de la ferme, près de l'hôtel.

La conversation va gaiement, nous léchons nos verres jusqu'à la dernière goutte.

Après avoir remercié et dit au revoir, nous voici sur le chemin du retour. Nous dévalons le raidillon à la course pour le plaisir d'attendre ensuite, couchés dans l'herbe, Papa, qui, plus raisonnable, descend posément.

Tout au long de la route, nous courons, jouons, chantons... Il est juste quatre heures quand nous arrivons aux Combettes...

Huguette rallume le feu et fait chauffer le café. Nous nous installons pour le goûter. Le pique-nique est oublié depuis longtemps, notre appétit est déjà revenu.

Un peu plus tard, Papa, Édith et Solange vont traire. Ensuite, nous nous dispersons, repris par les tâches habituelles : les uns en champ aux vaches ou aux moutons, d'autres au nettoyage de l'écurie, d'autres encore à la vaisselle. La journée n'est pas finie...

Eh bien, la joie ni la surprise non plus ! C'est le 15 Août ? C'est fête ? Jamais rassasiés, nous attendons la suite des festivités : ce soir, à la place de la veillée, il y aura un feu de camp !

Vive Marie ! Bonne et sainte fête, Vierge Marie ! Et merci, car, grâce à Vous, nous avons tant de bonheur aujourd'hui !

LE REBOUTEUX

Tout en se préparant à aller en champ aux vaches, Papa donne cette dernière consigne à Huguette :

– Violette reste ici aujourd'hui, elle boite vraiment trop. Comme je vais au fond des Combettes, elle ne pourrait faire tant de chemin... À croire qu'elles le font exprès, les autres vaches ne font rien que l'embêter. Quand on sera partis, tu la sortiras un moment quand même et tu la laisseras près de la maison afin qu'elle puisse manger un petit peu. Bernard et Jeannine la surveilleront. Elle ne risque pas de s'en aller, elle peut à peine marcher.

Oui, c'est vrai, depuis quelques jours, Violette boite. Au début, elle n'avait pas l'air d'avoir très mal. Mais au fur et à mesure que le temps passe, ce déséquilibre s'accentue, au point que maintenant elle est sérieusement handicapée. Son épaule semble la faire souffrir de plus en plus. Aujourd'hui, il y a une grosse boursouflure à la jonction de ses os (supposons-nous), entre sa patte avant droite et son épaule. Elle a dû se démettre une articulation en se battant l'autre jour avec Oseille. Elle est la moins forte, et elle a dû abandonner la bagarre, mais non sans avoir été projetée auparavant, en un fabuleux valdingue, à l'autre bout du champ. Mauvaise réception sur ses pattes, sans doute : la voilà qui boite bas depuis cette algarade.

Chose étonnante, on dirait que le reste du troupeau, pris d'une hargne collective à son égard, la sentant affaiblie, veut se venger d'elle. Se venger de quoi, pourtant ? Sans doute d'avoir eu l'outrecuidance de se mesurer à la reine. Car Oseille est la reine incontestée du troupeau. Averties par un mystérieux instinct, toutes ses compagnes ont renoncé à la défier, mais Violette, qui est nouvelle, trop prétentieuse sans doute, a provoqué l'affrontement. Mal lui en a pris, car, depuis, la voilà doublement mise en quarantaine, à cause de sa propre blessure, d'abord, et par ses compagnes ensuite : toutes lui tournent le dos, ou, pire encore, lui cherchent des chicanes.

Quoi qu'il en soit, Violette boite, elle souffre. Il faut la soulager et la guérir. Sinon, très vite, elle va dépérir. En plus, elle appartient à Firmin, et il ne nous pardonnerait pas de ne pas nous occuper d'elle. Mais la question n'est pas là. Une vache est une vache, et quand elle est malade, il faut la soigner.

Papa a bien essayé les cataplasmes d'argile, mais ils se sont avérés insuffisants, pour ne pas dire tout à fait inopérants. Et il a beau tâter les os et les muscles, l'amélioration désirée ne se produit pas. Une seule certitude : il ne s'agit pas d'une fracture, et cela déjà est rassurant. Pourtant cette bosse, ce matin, l'inquiète : il ne faudrait pas que cette chose mystérieuse s'infecte. Aussi, la décision est prise : aujourd'hui même, l'un de nous descendra avertir à Beaulieu d'aller chercher le rebouteux.

Pourquoi le rebouteux plutôt qu'un vétérinaire ? Parce que, dans ce cas précis – entorse, foulure ou tout autre déplacement – le rebouteux, non reconnu et parfois si déprécié de la gent médicale, sera plus efficace. Comment ? Grâce à un don spécial qu'il a reçu – et ce don ne s'explique pas, et point n'est besoin de longues études pour le posséder –, il semble que tout ce qui est sensible en lui se concentre au bout de ses doigts pour sentir, « voir », « entendre » ce qui est malade, aussi bien chez l'homme que chez l'animal.

Il y en a un justement qui habite un petit village, à quelques kilomètres seulement de Saint-Gervais. Le tout est de le trouver, et de le décider à monter jusqu'ici, alors que c'est la pleine période des foins.

C'est Solange qui est désignée pour prévenir à Beaulieu. De là, Marcel prend la relève, utilisant pour ce faire l'engin le plus rapide que nous possédions : le vélo. Il trouve M. Martin au beau milieu de son champ, occupé à retourner son foin. Marcel va droit vers lui et lui expose la situation. Agriculteur, donc de la famille des gens de la terre, M. Martin connaît très bien l'enjeu et l'importance de son intervention. Aussi accepte-t-il de venir à notre aide immédiatement, sans récriminer ni discuter.

Quelqu'un a-t-il besoin de lui ? Quelqu'un souffre-t-il ? Et le voilà, toujours disponible malgré son travail. Marcel l'a à peine informé, qu'il abandonne son labeur : son foin séchera bien tout seul. Il revient chez lui, enfourne le vélo de Marcel à l'arrière de sa jeep, et prend la route, accompagné de Marcel jusqu'à Beaulieu, puis de Solange jusqu'aux Combettes – une Solange pas peu fière de s'asseoir à l'avant et de lui montrer le chemin. Et les voilà, dans la chaleur de l'après-midi, la jeep pétaradant, eux suant – mais pas fatigués ! Bénies soient les jeeps, seules machines capables de gravir, sans effort apparent, les routes sinueuses, cahoteuses autant que raides de nos montagnes – et si rapidement !

Papa, qui guettait leur arrivée, vient à leur rencontre :

– Ah ! bonjour, monsieur Martin. Comme c'est gentil à vous d'être venu dès aujourd'hui ! Je vous remercie bien. Mais entrez donc, venez d'abord vous asseoir un moment et vous désaltérer. Par cette chaleur, un petit verre ne sera pas de trop.

Tout en discutant de choses et d'autres, ils s'installent tous deux avec un bon verre de cidre bien frais. En quelques mots, Papa explique à M. Martin la cause de tout ce dérangement. Alors – inutile de perdre davantage de temps –, ils se rendent à l'écurie.

À leur entrée, plusieurs vaches, étonnées, se lèvent d'un même mouvement. Quant à Violette, elle est affalée par terre et ne bronche pas. Elle tourne seulement son regard du côté des arrivants. Sa patte malade est repliée sous elle. La bosse est toujours là, assez proéminente pour ne pas risquer de passer inaperçue. M. Martin s'approche d'elle.

– Eh bien ! Tu es dans un bel état, toi !

Tout doucement pour ne pas l'apeurer, de ses doigts il tâte l'excroissance. Violette le regarde de ses yeux inquiets, mais se laisse faire, comme indifférente.

– Allez, debout ! À nous deux, ma belle !

Rassurant, il lui caresse le museau, lui parle de plus près, la chatouille entre les cornes – en un mot, la met en confiance, tout en l'incitant à se lever. Péniblement, avec de gros soupirs, elle s'emploie à obéir, mais sa patte avant droite ne repose pas sur le sol.

– Allez, va ! Tu n'en as plus pour longtemps à souffrir ! Encore un petit peu de patience, et tout ira mieux bientôt.

Délicatement, il palpe les muscles de son épaule. Il les fait rouler sous ses doigts savants.

– C'est là, c'est juste là ! Une bonne foulure, le nerf est complètement sorti et il s'est enflammé. Pas étonnant qu'elle ait si mal ! Mais on va arranger ça. Allez, ma belle, n'aie pas peur !

Tandis qu'il lui parle, il attrape sa patte, et, ayant bien localisé l'endroit, d'un mouvement sec, en moins de temps qu'il n'en faut pour le dire : une rotation à gauche, une rotation à droite tout en appuyant sur ce point très précis – et voilà : c'est fini, le tour est joué, tout est remis en place. Déjà ? Violette n'a même pas eu le temps de dire ouf ! Et nous non plus ! Mais elle se sent ausssitôt soulagée et pose déjà son pied par terre.

L'enflure n'a pas diminué, mais bien vite cette inflammation devrait se résorber : il suffira de la frictionner pendant quelques jours avec le produit adéquat.

Une dernière vérification. Oui, tout est en ordre : une chose pour chaque place, une place pour chaque chose, le dicton s'applique même en anatomie.

Papa et M. Martin ressortent de l'écurie. Papa est tellement content qu'il m'appelle et demande à M. Martin – avant même qu'il ait eu le temps de se laver les mains – s'il ne pourrait pas aussi regarder ma mâchoire. Depuis plusieurs jours, je me plains en effet de souffrir chaque fois que j'introduis un aliment dans ma bouche : il y a deux mois, le dentiste, au cours d'une extraction, m'a fait ouvrir la bouche si grand... que ma mâchoire est restée bloquée. Et depuis, même si elle a retrouvé sa mobilité, bien sûr, elle est néanmoins douloureuse. Chacun de ses mouvements s'accompagne d'un sinistre craquement, doublé d'une vive douleur. On dirait que l'articulation travaille à faux.

Me voici donc face à M. Martin, et, tout comme Violette, j'ai besoin d'être rassurée. Peut-être est-ce pour cela que mes frères et sœurs sont présents – d'ailleurs très intéressés.

M. Martin me dit d'ouvrir et de fermer la bouche. De ses deux mains, les yeux fermés, concentré, il tâte de l'extérieur l'ossature de ma mâchoire. Très impressionnée, je ne dis mot. Puis, ayant trouvé la faille, sans hésitation aucune, il enfourne un de ses doigts jusqu'au fond de ma bouche, appuie sur l'articulation défectueuse – du dedans – du dehors – et hop ! un petit mouvement de rotation, un petit coup sec comme pour la vache... et ma mâchoire est en place !

Le geste a été si rapide que je n'ai rien senti, sauf... le goût étrange de ce doigt plein de fumier – pouah ! Frères et sœurs, évidemment, sont écroulés de rire, et M. Martin se joint à eux de bon cœur devant ma mine effarée. Leur hilarité redouble lorsqu'ils me voient cracher une gorgée de salive tout imbibée de fumier. Ce n'est pas très méchant, et M. Martin de compatir :

– C'est vrai, excuse-moi, je ne m'étais pas lavé les mains.

À lui, je lui pardonne (d'ailleurs, le fumier n'a jamais fait mourir personne), mais les autres, ils ne perdent rien pour attendre.

Je fais fonctionner ma mâchoire, sceptique d'abord, puis complètement émerveillée comme par une découverte incroyable : ce mouvement si naturel est à nouveau indolore !

– Oh, merci, monsieur Martin, merci beaucoup, je n'ai plus mal du tout.

– Alors, tu ne m'en veux pas de t'avoir fait manger du fumier ?

– Oh non ! Ce n'est rien, ça m'est bien égal. Je n'ai plus mal, c'est formidable !

J'ai presque envie de l'embrasser, tant je suis heureuse. Mais dans la famille, on ne se permet guère les démonstrations de ce genre : une certaine pudeur naturelle fige notre spontanéité. Et puis, je le connais si peu, ce monsieur ! Je me contente de lui dire merci en lui serrant bien fort la main qu'il me tend, un sourire resplendissant aux lèvres.

Attendri, il me regarde de ses yeux rougis. Puis il va se laver les mains au bassin avant d'entrer à nouveau dans la cuisine, sur l'invitation de Papa. Cette fois, c'est un petit verre de goutte qui lui est offert. Papa veut aussi le dédommager de son après-midi perdu, de sa course en jeep, des bons soins donnés. Mais pas question, M. Martin refuse tout argent : le don lui a été transmis gratuitement, c'est donc gratuitement qu'il en fait bénéficier ceux qui ont besoin de lui. Avec émotion, Papa le remercie à son tour.

Qui ose dire que les paysans sont pingres, avares, près de leurs sous ? S'ils le sont parfois, la raison en est souvent une famille nombreuse à nourrir. Mais une chose est certaine : ils savent donner, même quand ils n'ont presque rien. Ils savent s'entraider, sans jamais accepter en contrepartie que la franche amitié et le plaisir du service rendu.

Après de multiples poignées de main – chacun tenant à le saluer –, M. Martin s'en retourne chez lui : il a son foin à rentrer avant la nuit. Il a perdu du temps ? Oui, peut-être, mais il a au cœur la joie de nous avoir secourus, et elle n'a pas de prix.

1957

MON HARMONICA

Une journée splendide. Nous sommes plusieurs en champ aux moutons. La montagne radieuse nous donne le ton. Alors nous chantons à pleine voix. Et bientôt, je sors mon harmonica et j'accompagne les chants, à ma façon, pour relever et amplifier leur beauté.

C'est Édith qui me l'a offert un jour – le plus fabuleux des cadeaux. J'en avais déjà un, que j'avais découvert à Beaulieu, caché sous la fenêtre de la chambre des garçons. Tout heureuse de ma trouvaille, j'avais enquêté : à qui appartenait-il ? À personne, apparemment. Donc il devint mien, puisque c'était moi qui l'avais déniché.

Il n'était pas très grand, et l'on pouvait en jouer des deux côtés. Malheureusement deux ou trois de ses notes sonnaient faux, rendant les mélodies plus que douteuses. Du coup, ayant une très bonne oreille, je préférais m'abstenir d'en jouer plutôt que de subir ces discordances désagréables.

Celui d'Édith, ah !, c'est tout autre chose. De taille, il est plus petit, à peine un peu plus long que la largeur de ma main. On ne peut jouer que d'un côté. Mais, ô merveille, tous les sons sortent admirablement justes. Aucune fausse note à regretter, plus de grincements de dents à redouter.

La musique est un talent inné dans notre famille. Nous avons tous l'oreille fine et la voix très juste. Sans avoir appris, nous savons, nous « sentons » la musique. Elle fait partie de nous, c'est un des dons que nous avons reçus à la naissance. Ça ne s'explique pas, et nous en jouissons amoureusement, pleinement, prenant un plaisir égal à jouer de nos voix ou d'un instrument. Une belle mélodie nous bouleverse l'âme, nous libère, nous élève comme un oiseau très haut dans le ciel.

Chez nous, la musique est un moyen d'expression très apprécié et très utilisé. Et plus que les autres instruments, l'accordéon et l'harmonica (même principe de lames en vibration) nous chavirent par leurs sons langoureux.

La musique tyrolienne est de loin celle que nous préférons ; nous resterions des heures à écouter cette profusion de sons émanant de plusieurs instruments qui se marient si mélodieusement, se fondent à la perfection, et agrémentée d'une voix cristalline, pure, transparente... Oh ! quel ravissement ! On en a les yeux qui pleurent de bonheur, le cœur gonflé d'émotion, l'âme au sommet des nues. Parfois l'impression est si forte, nous éprouvons une sensation de plénitude si intense que nous en sommes absents au monde qui nous entoure. Je crois qu'en ces moments-là, le ciel s'ouvre pour nous : oui, ce bonheur parfait, c'est une escapade au paradis – comment l'expliquer autrement ? moi, je ne sais pas, je le sens, je le vis, mais il est trop grand, trop fort, trop mystérieux, il échappe aux mots.

Édith, avec cet harmonica, pourtant si petit, me donnait les clefs de ce paradis, où je pourrais entrer quand je voudrais, entraînée par les sons que j'en tirerais.

– Oh ! Merci, Édith !

Je ne me sens plus de joie, et aussitôt je le porte à mes lèvres. Je souffle, j'aspire. Je monte et je descends la gamme. Un coup en avant, un coup en arrière. Comme par miracle, tous les sons répondent à ma volonté. Mon souffle devient musique, ma respiration devient mélodie.

Je n'ai jamais appris à jouer de l'harmonica. Mais très vite, même si au début mes essais ne sont pas très réussis, la musique naît, belle, pure, harmonieuse. Guidée par un mystérieux intinct – aspirer, souffler –, je tire de mon instrument des airs à vous fendre l'âme. Je peux tout exprimer : la violence, la colère, la souffrance aussi bien que la plus grande douceur, une émotion exacerbée. Mon harmonica ne me quitte pas. Il est toujours là, à portée de ma main, à portée de ma bouche, à portée de mon cœur.

Quelle bénédiction, un harmonica ! Finie la solitude... ou au contraire, bonjour, solitude (tout dépend de l'angle de vue !) : je sais qu'avec mon harmonica, je ne me *sentirai* plus jamais seule, même si je *suis* souvent seule pour en jouer, exprimer ma personnalité profonde, mes sentiments les plus intimes, ceux que je ne veux révéler à personne.

*
**

Marcel aussi joue de l'harmonica, et lui, est capable, en même temps qu'il déroule la mélodie principale, de faire l'accompagnement !

Je suis en admiration devant sa technique, et je ne tarde pas à décider : il faut que j'y arrive, moi aussi. Comment fait-il ? À plusieurs reprises il me l'explique : il faut taper la langue contre l'instrument, obstruant ainsi certaines notes, tout en donnant le rythme. Facile à dire, peut-être, mais pas facile à faire – d'autant que je ne peux « voir » comment il s'y prend. J'ai beau m'appliquer, je ne produis que cacophonie. Mais je ne désarme pas : j'essaie, je re-essaie, je re-re-essaie ! Rien à faire. Marcel s'évertue à m'apprendre son truc de toutes les manières possibles ? Pas de résultat. Cependant, je suis entêtée. Je veux réussir et j'y arriverai. Il n'y a pas de raison ; si lui le peut, alors, je le peux aussi. Reste à savoir quand ?

Finalement, mon obstination porta ses fruits, bien qu'il m'ait fallu plusieurs années pour voir mes efforts couronnés de succès. Ce fut une longue école de patience et de ténacité. Mais il n'est pas toujours très bon d'obtenir satisfaction tout de suite, lorsqu'on en a envie et parce qu'on en a envie. Savoir attendre et persévérer sont source d'une joie plus entière, plus grande et plus profonde.

*
**

Touristes ou gens de la montagne, si en vous promenant sur le versant du Prarion, vous apercevez une petite bergère, seule avec ses moutons, assise dans l'herbe rase, le regard perdu dans l'immensité du ciel, faisant glisser entre ses lèvres un petit harmonica qui verse une musique toute douceur et mélancolie, ou au contraire toute violence et furie, arrêtez-vous, ne bougez plus, ne faites pas de bruit. Sinon, vous l'effaroucheriez, et tel un mirage, elle disparaîtrait : la bergère est un peu sauvage.

Alors, arrêtez-vous, écoutez bien. Dans la montagne que vous contemplez, dans l'air que vous respirez, dans la musique que vous entendez, c'est son âme que vous rencontrez. Soyez attentifs : une certaine beauté, une certaine pureté – je dirais presque une certaine divinité – sont au rendez-vous. Goûtez-les vous aussi au passage, rassasiez-vous les yeux, les oreilles et le cœur... Emportez-en le souvenir afin que, plus tard, quand vous serez confrontés aux duretés de la vie, celui-ci soit votre rayon de soleil. Vous fermerez les yeux, vous le voudrez très fort... et tout vous sera rendu : la petite bergère et sa musique vous donneront encore un filet de bonheur.

LE SILENCE

Le silence, le grand silence...

Plus de bruit. Juste le pépiement de quelque jeune oiseau égaré et le crissement que font les sauterelles en frottant leurs pattes contre leurs ailes ; et encore, en tendant bien l'oreille, le souffle presque imperceptible du vent dans les branches des sapins, le bruissement de l'herbe ; au loin, le murmure d'un ruisseau descendant tout droit des glaciers ; le ronronnement d'un avion en plein ciel... Mais tous ces bruits sont si légers qu'ils font partie du silence même – comme s'ils n'existaient pas.

Je suis couchée dans l'herbe rase, seule sur ma montagne au Prarion. La chaîne du Mont-Blanc s'étire, royale... Mon Dieu, que c'est beau, divinement beau... Je me crois au paradis. Je ne bouge pas, je regarde et j'écoute, ouvrant bien grands les yeux et les oreilles. C'est le règne du silence, autour de moi et en moi. La paix est installée en maîtresse dans mon âme. Mon corps se fait léger et mon esprit libéré se met à errer dans cette immensité. Mon cœur se sent prêt à aimer.

Avez-vous déjà « écouté » le silence ? Il me prend de toutes parts. Bientôt, je suis en parfaite communion avec lui. C'est comme si mon âme se détachait de moi, s'élevait pour la rencontre du Créateur et de sa créature. Dieu, vous ne L'avez jamais vu ? Moi, je Le vois, je sens Sa présence, bien qu'invisible, impalpable. « Il est là. » Il est cette beauté, cette immensité, cette paix qui m'habitent. Il est en moi, car je fais partie de Sa création. Il est le silence qui me baigne, Il est l'amour qui me soulève... Il est... Quels mots pourraient le dire ? Avez-vous déjà éprouvé une telle impression ? de ne plus faire partie de vous-même ? d'être comme dédoublé ? Le silence me révèle ce mystère ; mais il est trop grand, trop profond... Comment saurais-je l'expliquer ?

Le silence aiguise mon écoute ; Il faut tendre l'oreille, mais surtout, il faut tendre son cœur. J'accueille le cri-cri des sauterelles, le pépiement de l'oiseau, le ronron de l'avion, le chuchotis du ruisseau, le frémissement de l'herbe, le soupir du vent... Pour un peu, j'entendrais s'ouvrir les fleurs, et la terre tourner. À nouveau, je plane bien haut.

Mais soudain, plus réelle, plus humaine, plus proche – bientôt ici –, n'est-ce pas la voix de mon ami Jean-Paul ? N'est-ce pas sa tyrolienne qui vibre dans l'air ?

Dans la disposition d'esprit où je me trouve, le divin et l'humain sont si étroitement mêlés que ce chant se fond dans le bonheur qui est en moi – ou mieux encore : il le complète. Je m'aperçois que deux grosses larmes coulent de mes yeux, tant mon bonheur est fort, tant il est débordant.

Alors, d'un bond, je me lève, et... tout le silence a disparu. Il me reste la voix de Jean-Paul, qui remplace tout, emplit tout : mon âme, mon cœur, l'air que je respire et chaque fibre de moi-même. Jean-Paul, vous comprenez, est celui que j'aime. Il est un peu plus âgé que moi, il est de la montagne, comme moi, nos cœurs et nos corps à tous deux sont purs. On dit que nous sommes beaux ? Que nous importe ? Je sais depuis toujours que je l'aime, mais lui ne le sait pas. Ça ne fait rien ; je suis comblée de sa présence.

Je l'appelle :

– Hou ou !

– Yo la la i tou !

Telle est sa réponse. Alors, il vient vers moi et me tend la main.

– Bonjour, Jean-Paul.

– Bonjour, la bergère, comment vas-tu aujourd'hui ?

– Merveilleusement bien. Et toi ?

– Moi aussi ! Que fais-tu seule ici ?

– J'écoute le silence !

– C'est beau ?

– Merveilleux !

– Je peux troubler ta solitude un petit moment ? Je peux l'écouter avec toi ?

– Oh oui ! bien sûr !

Nous nous asseyons côte à côte. Nos regards s'évadent. D'un geste de la main, je lui montre l'immensité :

– Tu as vu cette splendeur ?

Il se tourne vers moi. Il me regarde avec un drôle de sourire, un sourire plein de tendresse, un peu énigmatique :

– Oui, c'est beau ! Mais tes yeux sont bien plus beaux encore, petite bergère !

Je ne m'attendais pas à ce compliment : inconsciente de l'image que j'offrais au regard. Aussitôt, le rouge envahit mon visage – mon cœur, mon cœur, qu'as-tu à t'emballer ainsi ?

Lui, sourit toujours. Il demeure très calme cependant. Son intention n'est pas de me troubler. Il se couche dans l'herbe près de moi, un bras replié sous sa tête en guise d'oreiller. De l'autre main, il arrache un brin d'herbe qu'il se met à mordiller.

– Tu as raison. C'est beau, le silence... Écoutons-le ensemble.

Alors, nous nous taisons. Nous restons ainsi, comme deux enfants au cœur trop grand que nous sommes. Tout doucement, la paix regagne mon âme. Le silence, en grand vainqueur dans ces solitudes, nous enveloppe tous les deux de son manteau.

LE CLAIR DE LUNE

Un soir de pleine lune au Prarion, je crois que c'est d'une beauté sublime qui éclipserait tous les clairs de lune du monde...

Voulez-vous le partager avec nous ? Alors, si la montée ne vous effraie pas, joignez-vous à nous pour communier dans la magnificence de Dame Nature.

Nous sommes au milieu du mois de juillet. À Beaulieu, les foins battent leur plein. C'est samedi, fin d'une semaine de dur labeur. Mais demain dimanche promet le repos. Et, coïncidence heureuse, c'est la pleine lune.

Marcel, Fernand et Louis, tout en travaillant avec acharnement, ont guetté le temps. Le ciel est demeuré bleu, invariablement bleu. Aussi, malgré leur fatigue, ils n'y résistent pas : ce soir ils vont monter savourer le clair de lune au Prarion. Déjà, ils ont rassemblé quelques amis et se sont mis en route. Ils ne vont pas tarder à arriver aux Combettes et tandis qu'ils montent...

... Pour nous, ici, la nuit est tombée ; les bêtes sont rentrées. Nous voici réunis autour de la table pour le souper. M. Jean nous a rejoints. Nous nous dépêchons : ceux d'en bas ne doivent pas être loin... D'ailleurs, nous entendons bientôt des huchements sonores, des cris et des rires en cascade.

Vite, nous allumons la lampe sous l'auvent du toit pour les accueillir. Un souffle d'air frais : la porte s'est ouverte, ils sont là ! Une bouffée de jeunesse envahit avec eux la cuisine :

– You la la i tou !

Bonsoirs, poignées de main, embrassades... Nous nous serrons sur les bancs pour leur faire un peu de place. Et ce n'est plus qu'un brouhaha de rires et de paroles. Marcel, Louis et Fernand renseignent Papa sur l'avancement des foins, lui donnent des nouvelles d'en bas. Les autres, comme grisés, discutent à qui mieux mieux : ils ont tant à raconter ! Et nous, avides et silencieux, buvons ce pêle-mêle de nouvelles.

Huguette sert aux arrivants un grand bol de café chaud. Ils essuient la sueur sur leur visage, les filles avec des mouchoirs, les garçons sur leurs manches de chemise. Tous enfilent un pull de laine, le temps que cette ébullition se calme. Pour accélérer la transpiration et la neutraliser, ils prennent chacun un ou plusieurs sucres trempés dans la goutte. Ces canards, malgré les quelques grimaces qu'ils provoquent, ne doivent pas être si mauvais, car on y revient volontiers !

Tandis que nos visiteurs discutent et se reposent un moment, nous préparons nous aussi un vêtement chaud. Car nous avons prévu de monter tous ensemble au Prarion. Les Mathieu, bien sûr, sont de la partie. Parrain, Papa, M. Jean et Mme Mathieu restent à la maison. Ils se trouvent trop vieux, trop fatigués pour se mêler à toute cette jeunesse. Ils feront une belotte en attendant notre retour.

Nous plongeons dans la nuit noire : si le ciel est criblé d'étoiles, la lune n'éclaire encore que le sommet du versant d'en face. La montée s'organise. Les filles, plus peureuses, s'accrochent aux garçons. Chacun choisit sa chacune (ou inversement).

Moi, plus timide que les filles de la ville, plus réservée aussi, je me retrouve seule... et je monte en silence, la gorge un peu serrée, le cœur un peu lourd : Jean-Paul, « mon » Jean-Paul, a été accaparé par Louisette et Betty, sous prétexte qu'elles ont besoin de quelqu'un de fort pour les guider dans cette obscurité – et aussi, je crois, pour se faire remorquer !

J'avance donc seulette. Mais bientôt une main vient prendre la mienne.

– Toi aussi, tu es toute seule et tu te sens triste ?

C'est Édith qui s'est glissée à côté de moi et qui me confie :

– Oui, je le connais, le chagrin de ne pas avoir près de soi celui qu'on aime, alors qu'on se sent déborder d'amour.

– Tu as mal, toi aussi ?

– Un peu.

– Celui que tu aimes, toi, celui que tu voudrais, qui est-ce ?

– C'est Louis, mais il n'est pas ici ce soir, alors je ne veux personne d'autre.

Quand on marche dans la complicité bienveillante de la nuit, il est plus facile de s'épancher. Ah, les petits secrets du cœur, comme ils sont alors amplifiés !

Mais il ne faut pas que nous restions seules. Nous nous approchons du groupe. Ils chantent, ils rient, ils parlent, ils chahutent... Bref, ils font beaucoup de bruit. Où est passé le silence de ma montagne ? Décidément, les jeunes de la ville ne comprennent pas grand-chose. Ils sont toujours à faire du tapage. Il est vrai que la poésie du clair de lune n'est pas encore au rendez-vous et qu'ils sont surtout occupés à essayer de voir où ils posent les pieds. Et puis, moins habitués que nous à marcher dans l'obscurité, ils ne se sentent pas trop rassurés et le bruit leur sert à chasser la sournoise petite peur qui les gagne. Dès qu'un bruit intempestif les surprend – une bête en maraude, tout près, un renard ou un lièvre peut-être – les filles poussent des cris légers et serrent un peu plus fort le bras qu'elles tiennent ou la main qui a saisi la leur.

Nous traversons, toujours dans les ténèbres, le bois de mélèzes. Puis nous arrivons au chalet des Anglais et enfin sous le rocher, notre rocher à nous.

La chaîne de montagnes se découpe dans un halo de lumière, ombre chinoise sur fond de ciel étoilé. La lune n'est pas encore apparue, mais on la sent juste derrière la ligne des crêtes, qu'elle dessine d'un trait net. Déjà autour de nous s'annonce sa clarté.

Nos yeux s'étant habitués à la nuit, nous pouvons ne pas les tenir constamment rivés au sol, commencer à contempler le spectacle : si nous nous retournons, nous découvrons derrière nous la chaîne des Aravis et les aiguilles de Warens tout illuminées. Mais la plaine de Sallanches reste noyée dans l'ombre.

Nous continuons à monter. L'hôtel du Prarion se détache comme une masse sombre. Encore une petite grimpette, encore un dernier effort et ... nous y voilà, nous sommes arrivés !

Alors, comme si elle n'attendait que nous, la lune soudain montre le bout de son nez : c'est d'abord un mince trait lumineux, puis un croissant qui se lève tout doucement derrière la montagne, qui grandit et gonfle... jusqu'à devenir rond comme un gros ballon lâché en plein ciel.

D'un seul coup, le paysage se met à ruisseler de lumière. C'est comme un embrasement sur toute la terre. Plus un coin d'ombre, sauf les *envers*. Il fait presque aussi clair qu'en plein jour, mais la lumière est plus blanche que celle du soleil, plus pâle – et dépourvue de chaleur : nous avons tous enfilé nos pulls.

Tout le monde s'est tu devant la ronde immense des montagnes baignées d'une clarté irréelle et dormant dans le plus pur des clairs de lune. Comme chaque fois, nous sommes sous le charme. Qui pourrait se dire blasé à la longue ? Tant de beauté vous laisse muet, le souffle coupé, ébloui d'un émerveillement qui chaque fois renaît plus puissant.

Au rythme de nos regards qui suivent les sommets, nous égrenons des noms familiers, en commençant par notre droite : le mont Blanc en majesté, l'aiguille de Bionnassay, le dôme de Miage, le col du Bonhomme, le mont Joly, la chaîne des Aravis avec en flèche centrale la pointe Percée, le désert de Platée, la pointe des Fiz, le Buet, l'Aiguillette, le Brévent, l'aiguille du Tour, l'aiguille du Chardonnet, les Grands Montets, les Drus, la Verte, l'aiguille du Moine, les Grands Charmoz, le glacier des Pèlerins, celui des Bossons, l'aiguille du Midi, le glacier de Taconaz, le mont Blanc du Tacul, le mont Maudit, l'aiguille du Goûter... et tant d'autres que j'oublie ! À une altitude inférieure, en vallée, se déroule le pays des hommes : le col de Voza surmonté de Bellevue, Bionnassay pas très loin, la vallée des Contamines dans le fond, Tresse un peu en avant, Saint-Nicolas-de-Véroce plus haut, Combloux loin là-bas, Saint-Gervais, le Fayet en profondeur, Domancy suivi de Sallanches et Cordon tout au bout, Passy en hauteur, Chedde dans le trou, Servoz, les Houches, Chamonix, etc. Impossible de tout énumérer. Mais je voulais seulement vous donner une idée de ce panorama immense que nous dominons, de cette féerie grandiose déployée autour du Prarion.

Tandis que j'admire de toutes mes forces, de tous mes yeux, de tout mon cœur ce paysage unique au monde, un bras soudain se pose sur mon épaule. C'est Jean-Paul qui, s'étant libéré, est venu jusqu'à moi. Aussitôt je ne vois plus que lui. Moment d'ineffable bonheur...

– Eh bien, la bergère, qu'est-ce que tu en penses ?

Mon sourire radieux est plus lumineux encore que le clair de lune lorsque je tourne mon visage vers lui.

– C'est... C'est...

Les mots ne veulent pas, ne peuvent pas franchir la barrière de mes lèvres tant je suis émue, mais la réponse se lit dans mes yeux éblouis.

– Comme tu es belle, petite bergère ! Est-ce l'éclat de la lune qui fait ainsi briller tes yeux ?

Si je tais mon secret, de mon cœur jaillit une prière muette :

Vous, madame la Lune, qui êtes mon amie,
Voyez mon infortune...
Et dites-lui pour moi
Que je l'aime... je l'aime... je l'aime...
Je voudrais bien le lui dire
Lorsqu'il est si près de moi
Je voudrais bien lui sourire
Mais je n'ose, mais je n'ose pas !

Vous, madame la Lune, dites-lui pour moi : je l'aime...

Entend-il ce chant silencieux et désespéré que la pudeur et mon éducation m'interdisent de formuler (car jamais les filles ne doivent prendre l'initiative de telles déclarations aux garçons) ? Devant mon impuissance, je sens mes yeux s'emplir de larmes.

Il me contemple, et je lis dans ses yeux une émotion profonde. Il me serre un peu plus fort dans son bras, contre lui. Comprend-il mon message ? Je crois que oui, et il en est comme moi tout bouleversé.

– Ma petite bergère... Michelle... Que tu es folle !

Il essaie de cacher sous ces mots l'intensité de l'émotion que fait naître en lui mon aveu sans paroles. Mais ses yeux à lui aussi se mettent à briller. Respectueux, il dépose avec délicatesse un baiser léger sur ma joue mouillée.

Ce moment d'émotion profonde, de bonheur extrême ne dure pas longtemps : déjà les autres se précipitent sur lui, l'accaparant de nouveau, le tirant, le poussant, le séparant de moi.

– Allez, Jean-Paul, chante-nous une tyrolienne avec Marcel.

Les conversations fléchissent et s'éteignent tandis qu'ils se préparent. Bientôt dans la nuit s'élève leur chant tyrolien – tout doucement d'abord, puis de plus en plus ample, pour mourir à nouveau dans le silence.

La pureté de leurs voix, l'harmonie absolue de leur duo répondent à la splendeur du paysage, à la beauté de cette nature avec laquelle nous communions parfaitement. Je ne suis plus seule à avoir des larmes plein les yeux. Et lorsqu'ils ont fini de chanter, d'un accord tacite, tous respectent un temps de silence complet : touchés jusqu'au fond de l'âme, nous avons besoin de quelques minutes de recueillement.

Puis, bien sûr, nous entonnons nos beaux chants savoyards.

Nous sommes tous assis par terre, serrés les uns contre les autres pour échapper à la morsure du petit vent aigrelet qui nous refroidit : à 1 860 mètres, l'air est frais quand la nuit avance.

Que c'est beau ! Que nous sommes bien ! Nous chantons et vibrons à l'unisson d'une amitié partagée sincère, forte, purifiée par l'altitude et le spectacle de « notre » montagne étincelante.

Nous vivons un moment privilégié, suspendu hors du temps, où tout n'est que beauté, bonté, pureté, dans nos cœurs comme sur la terre : miracle accompli par le clair de lune qui verse sa magie en nous comme sur la nature.

Mais il nous faut songer à redescendre. Les choses humaines sont éphémères, seules demeurent celles du ciel. Le retour se passe dans le calme : chacun garde en pensée l'émotion rare et précieuse qu'il vient de vivre. Nous marchons d'un pas sûr, car la lune nous éclaire généreusement, juste en dessus de nous. Nous avons l'impression qu'elle nous accompagne en amie.

Aux Combettes, la partie de cartes vient de finir. Dans la cuisine comble, assis ou debout, nous trouvons une place pour déguster une bonne tranche de tarte aux myrtilles arrosée de café chaud servi par Huguette.

Au moment du départ de nos visiteurs, pendant qu'entre les embrassades fusent remerciements et congratulations de toutes sortes, Jean-Paul murmure pour moi :

– Au revoir, la bergère... À bientôt !

– Au revoir, Jean-Paul.

Il est une heure et demie. La lune a du temps encore pour éclairer nos rêves...

MENER LA VACHE AU TAUREAU

– Michelle, tu ne détacheras pas Mignonne, ce matin, elle *mène*. Tu lui donneras un peu de foin quand nous serons partis. Et fais bien attention qu'elle ne démonte pas tout à l'écurie !

Aïe... aïe... aïe... la tuile ! Mignonne mène. Ça devait arriver. On nous avait prévenus qu'elle allait demander le taureau pendant l'été. Mais, bonté !, elle n'avait pas besoin d'attendre d'être ici ! Elle aurait pu faire ça avant !

Quoi qu'il en soit, le fait est là, bien réel. Aussi nous ne pouvons la sortir et la mettre en champ avec les autres, elle ne ferait que les déranger et troubler leur tranquillité : dans cette situation, les vaches n'ont plus un comportement normal.

– Eh, Michelle ! Tu viens ? Qu'est-ce que tu attends ? C'est l'heure !

– Oui, oui, j'arrive !

D'habitude, c'est Huguette qui détache les vaches. Mais justement aujourd'hui, elle est absente. Et, du coup, c'est moi qui dois la remplacer. Je n'aime pas du tout cela, car, au moment de sortir, les vaches sont toujours pressées, et les génisses et les veaux tirent sur leurs liens en attendant leur tour, ce qui rend l'opération bien difficile. Il faut prendre garde aux cornes pointues qui ne cherchent qu'à vous éborgner, et aux sabots qui pourraient vous écraser les pieds : c'est très douloureux. Alors, je m'empare d'un petit bâton pour me rassurer et me faire respecter. Je vais à leur tête et les détache une à une. Elles sortent au fur et à mesure, toujours dans le même ordre. Papa attend dehors qu'elles soient au complet.

Donc, ce matin, Mignonne est consignée à l'écurie. Fait exprès, elle est l'avant-dernière de la rangée et je dois la contourner pour libérer Muguet qui se trouve coincée derrière.

Oh la la ! Mignonne s'agite et tire sur sa corde, ne comprenant pas le régime spécial qui lui est appliqué. Peureuse, je la fais se tourner pour atteindre Muguet, qui commence à s'énerver aussi. Voilà... Ça y est !

Une fois ses compagnes dehors, Mignonne, restée seule à sa place, furieuse, fait des bonds rageurs et meugle de colère en tirant dans tous les sens. Pourvu que son attache résiste ! Je quitte l'écurie au plus vite et referme la porte derrière moi. Pendant que j'accompagnerai le troupeau jusqu'à la suée, elle aura le temps de se calmer.

À mon retour, je lui donne une brassée de foin. Tandis qu'elle mange, occupée pour un moment, je me dépêche de paler. Quand j'ai terminé, je retourne à la cuisine pour continuer mon travail. Ouf !

À onze heures – Papa a rentré les vaches à nouveau et bu une goutte de café –, il me demande :

– Tu es prête pour emmener Mignonne au taureau ?

– Hein ? Il faut que j'y aille ?

– Bien sûr ! Qui pourrait venir ? Il n'y a personne d'autre.

– Oh la la ! Elle ne peut pas attendre le retour d'Huguette ?

– Tu sais bien qu'Huguette ne sera pas là avant ce soir, et c'est tout de suite qu'il faut l'emmener. Après, nous serons tranquilles.

– Tranquilles... tranquilles... Tu parles ! Et chez qui allons-nous ?

– Chez M. Arthur.

– Aïe... aïe... aïe...

Papa prend un bout de corde, entre dans l'écurie, attache Mignonne par les cornes et le museau. Puis, flanqués de Tilou, nous nous dirigeons vers les Combettes à M. Arthur, à deux minutes de la maison.

S'il y a une chose dont j'ai plus qu'horreur et qui me remplit d'une sainte épouvante, c'est d'être réquisitionnée pour conduire au taureau l'une de nos vaches, quand elle mène.

Moi qui, déjà, bien que je vive au milieu des vaches depuis toujours, en ai une peur bleue, eh bien ! quand on me parle de taureau, je suis tout simplement saisie de panique. Allez savoir pourquoi... Nous n'en avons pourtant jamais gardé chez nous – ni à Beaulieu, ni aux Combettes. Mais nous avons entendu tant d'histoires de « taureau méchant » que nous mourons de peur rien qu'à entendre prononcer ce mot !

De ce fait, malgré certaines propositions alléchantes de gens qui veulent nous en donner *en montagne* durant l'été, Papa – connaissant notre peur instinctive d'une part, et, d'autre part, n'étant peut-être pas trop rassuré lui-même (qui sait ?) – refuse toujours d'en prendre à l'alpage. Nous avons déjà assez à souffrir du taureau de notre voisin : sa montagne jouxte la nôtre, et ce ne sont pas les cinq rangées de fil de fer barbelé – obstacle bien léger, bien piètre rempart – qui retiendront son « fauve » s'il lui prend envie de sortir de son parc et de foncer chez nous.

Combien de fois n'est-il pas venu *rûler* (beugler) dans ce coin du parc d'où il voit notre maison, arrachant la terre de ses sabots, bavant, tempêtant ! Lorsque nous allons en champ aux moutons, si nous l'apercevons dans les parages, nous préférons couper à travers champs plutôt que de passer près de lui, faisant tout notre possible pour éviter d'attirer l'attention.

Pour nous, il n'y a pas de taureaux gentils. Indifférents ou rûlants, jeunes ou vieux, petits ou gros, ils sont tous, dès l'origine, étiquetés « méchants » – seule épithète qui convienne. Il est vrai que presque tous, à partir d'un certain âge et plus la saison d'été avance, deviennent très hargneux, et même parfois fous furieux. Nous en avons une longue expérience...

Depuis ma plus petite enfance, j'ai frémi et tremblé à cause de ce taureau, de la proximité de cette terrible bête, si bien campée sur ses quatre grosses pattes massives, roulant des muscles et vociférant.

Mais aujourd'hui, Mignonne mène. Il nous faut bien avoir recours à lui. En effet nos vaches ne connaissent pas l'insémination artificielle. Tout se passe de façon naturelle. Puisque nous n'avons pas de taureau, nous sommes bien obligés de faire appel à celui d'un voisin. Ils sont deux propriétaires d'alpage à qui nous pouvons nous adresser. Le taureau de M. Arthur, chez qui nous nous rendons aujourd'hui, a l'avantage d'être tout près de chez nous, mais... ni lui ni ses vaches ne sont gardées. Il n'y a pas de berger. Le troupeau vit dans le parc en toute liberté, et ce n'est pas une mince affaire que de pénétrer sur son territoire avec une vache « étrangère », une intruse – et qui plus est, en rut !

Dès qu'il nous aperçoit, sa curiosité piquée au vif, tout le troupeu rapplique à la course à notre rencontre, taureau en tête, bien sûr ! Quelle horreur ! Et notre Mignonne qui se met à faire des bonds, à tirer sur sa longe, à sauter de tous côtés dans l'espoir de se libérer pour aller batifoler avec les autres.

Papa a beaucoup de peine à la retenir. Heureusement qu'il est fort et qu'il tient bon. Moi, il y a longtemps que j'aurais tout lâché ! Il tape de son bâton sur le nez de Mignonne pour la faire tenir tranquille, et aussi sur les autres vaches qui s'approchent de trop près, et même sur le taureau, pour le tenir en respect.

Heureusement que Tilou n'a pas peur ! Elle est bien plus efficace que moi. Elle mord à qui mieux mieux, sous le commandement de Papa, pour écarter la présence intempestive des vaches. Seul a droit de rester le taureau... qui se met alors, les sens tout émoustillés, à tourner autour de Mignonne.

Dans ma frayeur, j'abandonne ma place à l'arrière pour me mettre contre Papa qui, lui, se démenant tant et plus, donne de la voix et du bâton... et me renvoie à mon poste pour que j'aide Tilou dans sa besogne. Oh ! je suis sûre que Papa n'est pas plus rassuré que moi. Seulement, il ne le montre pas. Il continue d'avancer, impertubable, cramponnant sa vache. Enfin arrivé près de la maison de M. Arthur, il cherche un endroit où l'attacher en toute sécurité. Alors, tandis qu'il seconde Tilou occupée à éloigner le troupeau, il laisse le taureau seul avec Mignonne accomplir son œuvre.

Moi, je me suis réfugiée sur le toit de la maison, accessible en passant par le talus du haut. Tremblante de la tête aux pieds, la peur me tordant le ventre, le cœur battant la chamade, n'ayant plus ni voix ni jambes, roulant dans toutes les directions des yeux exorbités pour vérifier que rien ni personne n'approche. J'admire le courage et le calme apparent de Papa, qui me font si complètement défaut. Mais que voulez-vous ? Je suis encore si jeune. On ne devrait jamais demander cela à une toute jeune fille... Mais j'étais la seule personne disponible, et Papa ne peut vraiment pas à la fois maîtriser Mignonne, ouvrir et refermer le parc, éloigner les autres vaches, etc. Force lui était donc de faire appel à moi, même si je suis si peu compétente. Il ne l'a pas fait de gaieté de cœur, mais il n'a pas le choix. Et il m'est impossible de refuser dans de telles circonstances.

Mais revenons à notre Mignonne. Après ses ébats amoureux avec le taureau, leur union étant consommée, enfin satisfaite, calmée, la voici toute tranquille à présent. Le taureau, mission accomplie, tournique encore autour d'elle, mais Papa aidé de Tilou l'éloigne assez facilement. Bientôt il va rejoindre ses vaches à lui, à l'autre extrémité du parc.

Toujours tremblante, je descends de mon toit. Papa frotte le dos de Mignonne avec son bâton. Il le fait rouler à plusieurs reprises sur ses reins. (Pourquoi ? Je ne sais vraiment pas. Et cela ne m'intéresse absolument pas de le savoir.) Puis il la détache et nous repartons tranquillement chez nous – sans traîner cependant. Je ne cesse de me retourner pour surveiller les mouvements des autres.

Aujourd'hui, nous avons emmené Mignonne consommer ses amours avec le taureau de M. Arthur. D'autres fois, nous sommes allés chez M. Robin.

Il habite beaucoup plus loin des Combettes, à une bonne heure de marche. Mais lorsque le taureau de M. Arthur est méchant et qu'il devient beaucoup trop dangereux de pénétrer dans son parc, alors, malgré la distance, c'est quand même la solution que nous adoptons, car ce taureau au moins n'est pas en liberté et nous sommes davantage en sécurité.

Nous nous y rendons en tout début d'après-midi. Papa attache sa vache près de la maison. M. Robin entre dans l'écurie d'où il ramène son taureau qui était paisiblement couché en train de ruminer. Moi, je reste loin derrière et je me cache de mon mieux, guettant un monticule sur lequel je puisse me réfugier s'il prenait l'idée au taureau de venir dans ma direction. Mais en vérité, il se moque bien de moi, beaucoup plus intéressé qu'il est par notre vache.

L'accouplement a lieu. Après, M. Robin le rentre à nouveau dans l'écurie, où, docile, il reprend sa rumination temporairement interrompue.

Quant à nous, après que Papa a bu un coup et discuté un moment, nous retournons au bercail avec notre vache, pour profiter d'un restant de sieste, écourté mais bien mérité.

LE FEU DE CAMP

Cet après-midi, nous avons échappé à la sieste obligatoire : nous étions réquisitionnés, Papa compris, pour aller chercher du bois mort. Du bois ? Mais pourquoi ? Il en reste suffisamment à la maison ! Peut-être, mais celui-ci ne finira pas dans le fourneau. C'est pour le feu de camp prévu demain soir que nous en avons besoin, et il nous en faut même une belle provision : plus elle sera importante, plus le feu sera beau, plus longtemps il durera.

Nous partons donc en direction des bois communaux, à quelques centaines de mètres plus haut, juste derrière les Combettes. Papa, armé d'une hache et d'une scie, a pris la tête de notre troupe. Nous lui emboîtons le pas, munis en tout et pour tout de quelques bouts de corde. Une petite grimpette, et nous voici à pied d'œuvre.

Dans ce bois, il y a plein de gros sapins et de mélèzes centenaires, assez espacés car ils ont poussé naturellement, semés par le vent et non pas plantés par les hommes. Beaucoup de branches ont été cassées, l'été, par la foudre et les orages, l'hiver, par la neige abondante et trop lourde ; et le vent s'est chargé de les faire tomber, tantôt juste au pied des arbres, tantôt jusqu'au beau milieu des champs. Elles jonchent le sol, enchevêtrées les unes dans les autres, parfois enfouies sous l'herbe et les fougères qui ont poussé depuis, au point qu'il est nécessaire d'avoir recours à la scie et à la hache pour les dégager. Cela demande force et prudence. C'est pourquoi Papa est venu avec nous.

Le service des Eaux et Forêts de Saint-Gervais nous a donné la permission de prendre le bois mort (branches ou arbres) pour nos besoins personnels. Nous usons de ce droit. M. Auguste, le garde, vient vérifier de temps en temps. Il marque certains arbres, qui, tout en étant encore debout, sont morts ou près de mourir : nous pouvons les abattre et les emporter.

Cet accord nous arrange, bien sûr, puisque nous brûlons beaucoup de bois pour le fourneau et pour le feu nécessaire à la fabrication de la tomme. Mais par la même occasion, nous rendons un service appréciable à la commune en nettoyant le terrain, ce qui permet aux jeunes sapins ou mélèzes « tout neufs » de pousser à leur tour et de renouveler la forêt.

Parfois nous mettons en champ les vaches par ici, mais jamais les moutons : les vaches broutent l'herbe ; les moutons, quant à eux, mangent les jeunes pousses d'arbres ou les endommagent.

Pendant que Papa se dépense à scier, couper, déterrer, désenchevêtrer de grosses branches, nous ramassons et rassemblons de petites branchettes toutes fines et bien sèches. Elles seront parfaites pour allumer le feu. (Après, inutile que le bois soit très sec. Les branches, même un peu humides, flambent très bien. Elles font un peu de fumée, mais la fumée qui s'envole est belle aussi à regarder.) Nous formons un tas que nous trimballons à l'aide de nos cordes jusqu'à l'emplacement choisi pour le feu, à plus de deux cents mètres de la maison, pour éviter que les étincelles risquent de provoquer un incendie. La précaution est sage ; on n'est jamais trop prudent. D'autant plus qu'il ne faudrait pas compter sur l'intervention des pompiers, car, avertis de notre projet de feu de camp, ils ne se dérangeraient pas.

Après les branchettes, nous avons à nous occuper des grosses branches préparées par Papa, et nous faisons autant de voyages que nécessaires. C'est une dure besogne : elles sont lourdes, elles accrochent de partout ! En outre, le sapin, ça pique ! Nos mains en sont tout égratignées. On se prend les pieds dans les racines, on tombe, on se relève, on tire, on pousse. Parfois on se met à deux pour un seul fagot, parfois on ne charrie qu'une unique branche... Mais à la fin de l'après-midi, nous avons dressé un beau tas de bois, bien rangé, tout prêt à servir.

Que de travail ! Ceux qui deviseront gaiement en regardant danser les flammes se rendront-ils compte des efforts que cela nous a coûtés ? Mais nous n'avons aucunement l'intention de nous plaindre : le travail de préparation, même s'il est difficile et pénible, fait déjà partie de la fête et nous sommes fiers de penser que, grâce à nous, grâce à notre peine, le feu de camp sera beau, et tout le monde heureux.

À Beaulieu, Marcel, Fernand et Louis, à leur façon, ne sont pas en reste : ils battent le rappel du plus grand nombre d'amis possible. Une vingtaine se rallient à leur invitation. Tous jeunes (ou presque), ils monteront à pied de Saint-Gervais aux Combettes, dans la soirée de demain, dimanche. Ils mettront une heure et demie ou deux heures, selon leur allure. Quand nous aurons fini les travaux de la ferme, rentré vaches et moutons, nous souperons ensemble et lorsque la nuit sera venue, alors : vive le feu de camp !

*
**

Et voilà : nous y sommes. L'heure est enfin arrivée. Marcel, Fernand, Louis, Jean-Pierre, Betty, Louisette, René, Jacqueline, Paulette, Monique, Marguerite, Nicole, Raymond, Claire, Dominique... tous sont là ! Et, comble de merveille, Maman elle aussi est venue ce soir.

La montée a excité toute cette jeunesse : elle piaille à qui mieux mieux. Impossible de la faire taire. Du coup, nous autres des Combettes, nous les écoutons, un peu intimidés, rassemblés dans notre coin. La famille Mathieu se joint à nous : Mme Mathieu, Marie-Claire, Paule, Geneviève, Étienne, Yves, Jean-Michel, Blandine. Et M. Jean arrive des Plancerts. Comme nous, il n'est pas très à l'aise.

Que de monde ! que de monde ! Nous sommes « tout saouls » de tant de bavardages et de bruit. Aussi, le repas fini, plutôt que de rester dans la cuisine, entassés les uns sur les autres, nous prenons manteau et gilet, sortons dans la nuit, et nous allons nous installer près du beau tas de branches préparé hier. Nous nous asseyons tous par terre, sauf Maman et Mme Mathieu, pour qui nous avons emporté deux tabourets.

C'est à Papa que revient l'honneur d'allumer le feu : un morceau de journal qu'il a froissé, quelques menues brindilles par dessus, des branchettes bien sèches, un petit coup de briquet... et la flamme jaillit.

Quand le feu a bien pris, les plus grands ajoutent chacun à leur tour des poignées puis des brassées de bois. Les petits ne s'approchent pas trop, ils risqueraient de se brûler.

La flamme s'élève de plus en plus haut dans le ciel. Le feu crépite dans la nuit. Au début et chaque fois que l'on rajoute des branches, la fumée monte en grosses volutes épaisses qui se dissolvent bientôt dans l'obscurité. En même temps, des myriades d'étincelles grimpent haut, très haut, et les étoiles les voient monter à leur rencontre, ces nouvelles petites étoiles filantes, avant que, réduites en cendre, elles retombent sur nous en tourbillonnant.

La résine grésille et parfume l'air d'une odeur enivrante.

Émerveillés, assis dans la fraîcheur de l'herbe, tous nos sens en éveil, nous contemplons. Un même bien-être nous envahit tous. Nous nous mettons à chanter à plusieurs voix nos chants de montagne préférés. Ils jaillissent de nous sans que nous puissions les retenir. Nous en connaissons par cœur un large répertoire, nous les reprenons si souvent, quand nous sommes en champ, ou lorsqu'il fait de l'orage, ou encore dans le brouillard, et en toutes occasions. À nous tous, nous formons une formidable chorale. Nos voix montent, limpides, dans la nuit, troublées seulement par le crépitement du feu. Quelle heure splendide, magnifique ! La joie rayonne sur nos visages illuminés par les flammes. Elle sourd de nous, s'exprimant par nos chants. Bientôt Marcel, Jean-Pierre et Raymond nous poussent une tyrolienne, tandis qu'Édith et moi les accompagnons timidement à l'harmonica. C'est sublime ! On en a les larmes aux yeux. N'est-ce pas drôle, que le bonheur complet se manifeste de la même façon que la souffrance : par des larmes ! Mais bénies soient ces larmes de joie...

L'émotion est générale. Soudain, nous voyons revenir quelques-uns d'entre nous, déguisés à l'aide de vieilles *farattes* : ils sont retournés en cachette à la maison et se sont affublés de ces vieux vêtements usagés, qu'ils ont trouvés suspendus aux portemanteaux. Et ils se lancent dans des histoires qu'ils miment avec force pitreries. Ils sont irrésistibles. Nous sommes tous pliés de rire. D'autant qu'ils ne font appel à aucune grossièreté, aucune grivoiserie – ni en paroles, ni dans leurs gestes. Spectacle tout public. Et c'est sans doute pour cela que petits et grands en profitent si pleinement, en toute candeur, en toute quiétude. Nous rions de si bon cœur que nous en avons mal aux mâchoires, mal aux côtes, mal au dos... Mais c'est si bon de rire !

Et les heures s'écoulent ainsi, dans une bienheureuse ambiance, entre jeux et rires, chants, devinettes et danses.

Des montagnes alentour, du mont Joly, de Warens, de Cordon, Combloux, des Aravis..., d'autres feux répondent au nôtre. En ce 15 Août, partout sur la montagne c'est fête en l'honneur de Marie. Tous ces feux allumés nous réunissent en une grande famille. Bien que disséminés loin les uns des autres, nous ne nous sentons pas isolés, mais acteurs fraternellement unis sur la scène d'une soirée féerique.

La beauté grandiose de la montagne fait écho au vaste horizon qui nous entoure. Jamais en ville on ne pourrait éprouver une telle félicité, une telle plénitude. Heureux sommes-nous, nous, petits montagnards, de connaître et ressentir ce bonheur parfait, tout simple autant que gratuit.

Peu à peu, le tas de branches a baissé, s'est épuisé, le feu n'est plus que cendre. Il est très tard, le sommeil picote nos paupières alourdies.

Huguette redescend à la maison pour faire chauffer le café et sortir les gâteaux qu'elle a préparés.

D'un commun accord, tous les garçons présents se mettent en rond autour du tas de cendres, et font pipi dessus, au cas où il resterait quelques braises récalcitrantes. En plus et surtout, ils trouvent cela très drôle (et ce n'est pas bien méchant !). Bientôt, il n'y a plus aucun risque.

Nous pouvons à notre tour revenir à la maison. En se serrant, tout le monde parvient à entrer. Distribution de café et de gâteaux. Ceux d'en bas se préparent à redescendre – bonsoir, bonne nuit, bonne descente ; embrassades et mains serrées. Nous, nous allons nous coucher. Mais cela en vaut-il vraiment la peine ? Il est passé trois heures du matin, et dans un peu plus d'une heure sonnera la reprise du travail. Raison de plus pour nous hâter : vite, la prière, et plus vite encore, au lit ! Nous sommes enfin rassasiés, et surtout fa-ti-gués !

Tout à l'heure, il sera dur de se lever. Mais pour moi, ce sera encore un jour de fête : j'aurai treize ans.

LA TRAITE

J'ai treize ans, l'âge de me mettre moi aussi à traire les vaches.

Seize heures trente : c'est l'heure. Le goûter terminé, Papa a déjà revêtu pantalon, blouson, chapeau et sabots à traire, la tenue spéciale réservée à cet usage. Je dois en faire autant, et me dépêcher, en plus, car aujourd'hui, j'ai trois vaches à traire, trois d'un coup ! Il me faudra bien autant de temps qu'à Papa pour en traire huit ou dix ! J'enfile à mon tour une blouse, un béret que j'enfonce bien sur ma tête pour emprisonner tous mes cheveux, des bottes et... en avant !

J'attrape un seau de fer blanc au passage, un tabouret, une ficelle. Et, armée de tout mon courage, je me lance.

– Papa, par laquelle je commence ?

– Prends Vincenne, elle est douce et pas méchante, et elle ne bouge pas.

J'avance dans la raie. Vincenne ? Ah ! la voilà.

– Bonjour, toi. Tâche de rester tranquille, hein ?

La vache, étonnée, tourne la tête vers moi. Tout en continuant de ruminer, elle me regarde de ses grands yeux dorés, comme pour me dire :

– Tiens ! C'est toi, aujourd'hui ?

– Eh bien, oui, c'est moi ! On va voir ce qu'on va voir !

Je ris..., mais je ris jaune, car je suis loin d'être rassurée !

Je pose le tabouret derrière moi, le seau à ma droite, et je m'assois le plus près possible de Vincenne. Comme Papa. Mais, inquiète elle aussi, Vincenne recule un peu. Je commence à trembler.

– Ah ! toi, reste tranquille, hein !

J'essaie de prendre une grosse voix pour me donner de l'autorité. Je voudrais faire croire à Vincenne que j'ai une longue expérience. J'avance davantage mon tabouret. Vincenne ne peut pas aller plus loin, à présent, elle est bloquée par Gitane, qui n'a pas la moindre intention de se laisser bousculer.

Je m'assieds, la jambe gauche appuyée à la patte arrière droite de Vincenne : heureusement que je porte une blouse ! Il faut d'abord que j'attrape sa queue pour l'attacher, si je ne veux pas la recevoir en pleine figure : d'où l'importance de la ficelle.

Pouah... que c'est sale... elle est toute mouillée ! Évidemment : avant mon arrivée, Vincenne était couchée, sa queue reposant dans la raie et le fumier.

Hop ! je l'ai – entre deux doigts seulement, pour ne pas me salir. Je passe la ficelle autour, et, tandis que je tiens un bout de la ficelle de la main gauche, je glisse la main droite entre les pattes arrière de la vache pour saisir l'autre bout. Les ayant réunis, je les attache autour de sa cuisse droite, fais une belle boucle, pas trop serrée.

– Bon, voilà qui est fait. Maintenant, on y va !

J'essaie de faire « comme Papa ». Je cale ma tête dans le creux de la hanche de Vincenne (il paraît qu'ainsi elle ne peut plus bouger sa patte), et je coince bien le seau entre mes genoux.

Jusque-là, tout se passe à peu près bien. J'attrape alors un pis, mais mes gestes sont timides, je dois la chatouiller, car voilà qu'elle fait un saut de côté des deux pattes à la fois. Prise de panique, je lâche tout : le pis ; le seau, qui roule par terre ; le tabouret, qui tombe à la renverse... Et pour couronner mon malheur, Vincenne libère sa queue de la ficelle (mon nœud devait être trop lâche) et me gratifie d'un magistral coup de pinceau en pleine figure !

– Ah... Espèce de vache, va... Sale bête...

À la fois furieuse et paniquée, je crie, lui donne des coups de poing sur le ventre, gesticule comme un pantin, ce qui a pour effet immédiat de l'effrayer davantage.

Papa est plié en deux de rire. Vincenne me regarde avec des yeux ronds : je dois offrir un spectacle étonnant, debout dans la raie, avec mon seau renversé et mon tabouret souillé, la figure barbouillée de fumier. Je m'essuie tant bien que mal dans ma blouse, et rouspète de plus belle.

– Je n'y arriverai jamais ! D'abord, j'ai peur. Et puis, zut, zut, zut !

Les larmes me piquent les yeux. Malgré ma colère, je tremble de tous mes membres. Papa se calme un peu et, pris de pitié, vient m'expliquer comment m'y prendre.

– Tu vois ? Ce n'est pas difficile.

Il s'approche de Vincenne, la caresse, lui répète des mots apaisants.

– Là, là, Vincenne. Doucement...

Il rattache sa queue, plus fermement ! Je l'observe, déconfite. Vincenne est rassurée.

– Tu parles ! Avec toi, elle ne bouge pas d'un pouce.

– Bien sûr, toi, tu en as peur. Elle le sent. Il ne faut pas la frôler, il faut empoigner les pis franchement, sans lui faire de mal, mais sans hésitation. Tu vois ? Comme ça... Elle ne bouge plus. Allez, recommence.

Je renifle un bon coup, essuie mon tabouret, m'assois, cale le seau entre mes genoux, appuie ma tête au creux de sa hanche et j'empoigne – mais carrément, cette fois – deux des quatre pis, l'avant droit et l'arrière gauche. Papa me surveille.

– Tu vois, ça va tout seul ! Surtout, ne la lâche pas, ne lui laisse pas voir que tu as peur. Fais bien ce que je te dis : ne la pince pas. Il faut serrer les pis, mais sans pincer. Ne replie pas tes ongles à l'intérieur de la paume, tiens tes doigts bien à plat.

Je tire d'une main, puis de l'autre.

– Mais, rien ne vient !

Alors, Papa m'explique encore.

– Il faut d'abord la *maniller* : tu tires doucement les pis, l'un après l'autre, en pressant légèrement, jusqu'à ce qu'ils se remplissent de lait. Alors tu serres de haut en bas et le lait sortira.

Je m'applique à suivre les consignes. Au bout d'un moment :

– Ça y est, le lait vient ! Ça marche !

Vincenne, docile maintenant, ne remue plus. Un trayon, puis deux, un de la main gauche, l'autre de la main droite, et ainsi de suite jusqu'à la dernière goutte. Le lait gicle au fond du seau, qui résonne d'une musique allègre : Tchi tchou... tchi tchou...

Je gagne de l'assurance. Le travail de mes mains s'accélère. Le fond du seau disparaît bientôt sous une mousse abondante. Les notes de la chanson s'assourdissent, signe que le seau se remplit.

Le temps passe et il me semble long.

– Dis, Papa, elle a beaucoup de lait, Vincenne ?

– Les trois quarts du seau à peu près.

– Eh bien ! Je n'ai pas encore fini !

Heureusement, Vincenne rumine à présent, tranquille, comme si elle allait s'endormir. Une demi-heure plus tard, mon seau me paraît assez plein et ma patience est à bout.

– Dis, Papa, ça suffit, maintenant ?

– Vincenne n'a plus de lait ?

– Un tout petit peu encore : ça ne veut plus s'arrêter ! Mais le seau est presque plein.

– Bon, tu peux t'arrêter, va, tu as encore deux vaches à traire, ne l'oublie pas !

– Hou là là ! Mais j'ai mal aux bras, je ne pourrai pas !

– Mais si, tu verras.

– Bien sûr, toi, tu en es déjà à la quatrième !

– Tu n'en trairas que deux pour ce soir. Mais après, il faudra bien t'y mettre !

Je me lève. Je suis restée penchée si longtemps que j'ai le dos tout endolori. Mes bras, mes mains me font mal, et mes cuisses aussi, d'avoir porté et serré le seau. Mais en montagne, on n'a pas l'habitude de se plaindre. Je vais vider mon seau au fraidzi. Huguette est là et m'accueille d'un petit air amusé :

– Et tu as vraiment eu tout ça ?

Il est vrai que je n'ai pas de quoi me vanter.

Puis elle éclate de rire :

– Tu as vu ta figure ? On dirait que tu as eu un ennui ?

Je suis un peu vexée, mais Huguette plaisante sans méchanceté. Un peu plus tard, d'ailleurs, elle m'apporte le savon et un gant de toilette pour que j'aille me laver au bassin.

Et voilà : plus d'une heure pour traire deux vaches. Mais il faut un début à tout. Et pour le moment, je ne pense qu'à une chose : c'est fini pour aujourd'hui. Ouf !

*
**

Depuis, j'ai fait des progrès. Maintenant que l'été se termine, je peux traire quatre vaches dans le même temps. Elles ne me font plus peur, elles me connaissent : nous nous sommes apprivoisées.

1958

LA PESÉE DU LAIT

Voici deux semaines que nous sommes emmontagnés aux Combettes. Les vaches, un peu fofolles au début, car grisées d'air pur et ne se connaissant pas, se sont maintenant calmées et apaisées. Elles se sont familiarisées les unes avec les autres et se sont habituées à leur nouvelle vie. L'herbe courte et rare des premiers jours est devenue tendre et abondante. Aussi donnent-elles généreusement leur bon lait mousseux et parfumé.

Avant le goûter, Papa prévient Huguette :

– Ce soir et demain matin, il faut faire la pesée du lait. Tu prépares la balance, le seau et le carnet.

– Oui. Le seau est prêt, et j'ai déjà écrit le nom des vaches sur le carnet. Je n'ai plus à m'occuper que de la balance.

Huguette va la chercher dans la chambre de Papa, où elle est pendue au plafond par un crochet : quand il n'y a plus de place par terre, il y en a toujours en l'air ! Elle la décroche, lui donne un petit coup de chiffon pour enlever la poussière, rajoute quelques gouttes d'huile dans le mécanisme pour plus de souplesse et de précision, puis l'installe dehors, suspendue à un crochet sous l'auvent de la maison. Elle vérifie que tout fonctionne bien et fait la tare du seau. Après la traite de chaque vache, son lait sera pesé dans ce seau avant d'être versé dans la bassine de l'écrémeuse.

Mais, direz-vous, faire la pesée du lait, pourquoi ? Pour savoir ce que produisent respectivement les vaches, sur l'ensemble de la saison.

Comment procédons-nous ? Trois fois dans l'été, au début lorsqu'elles donnent leur maximum de lait, au milieu lorsqu'elles en donnent moins, et vers la fin lorsqu'elles n'en ont presque plus (ou même plus du tout), nous pesons le lait donné par chaque vache en une journée (traite du soir et traite du matin ajoutées). Les trois mesures sont additionnées ; la somme est divisée par trois ; et le résultat représente approximativement le nombre moyen de litres donnés quotidiennement par chacune. En multipliant par le nombre de jours passés à l'alpage, on obtient la production totale de chaque vache.

Et quel intérêt à ce chiffre ? Eh bien, sur les treize à quatorze vaches à traire que nous avons chaque été, cinq ou six seulement sont à nous. Les autres appartiennent à différents propriétaires. (Ils nous en confient une, ou bien deux ou trois.) Certaines vaches donnent beaucoup de lait, d'autres très peu, d'autres même – comme les génissons et les veaux –, pas du tout. Lorsque les propriétaires les laissent à notre garde, ils nous paient un droit, ce qui est normal, vu tout le travail qu'elles nous donnent et la responsabilité que nous avons. Ce droit est payé en totalité pour les génissons, et un peu moins pour les veaux. Quant aux vaches laitières, il est établi qu'un certain nombre de litres du lait fourni sera retenu pour payer ce droit. Si une vache a donné plus que l'équivalent du montant du droit, alors c'est à nous de payer le propriétaire pour le surplus. Si elle a donné moins, c'est le propriétaire qui complètera la pension.

Exemple : Une vache donne à la première pesée : 20 litres, à la deuxième : 10 litres, à la troisième : 3 litres. Moyenne quotidienne sur l'été : (20 + 10 + 3) : 3, soit 11 litres. Production totale durant les quatre mois – donc 120 jours – à l'alpage : 11 x 120, soit 1 320 litres. Nombre de litres retenus pour payer le droit : 800. Il y a donc un surplus de (1 320 – 800), soit 520 litres. Si nous considérons que le litre de lait vaut 1 franc, nous aurons à payer au propriétaire 520 francs. (Ce n'est pas avec cette méthode que nous deviendrons riches !)

Pourquoi devons-nous payer le lait en surplus ? Parce qu'il a une valeur marchande, comme aussi le beurre et la tomme que nous fabriquons à partir de lui : parfois, aux Mathieu ou à des gens de passage, nous vendons du lait frais sur place ; de même, tout le beurre que nous ne consommons pas personnellement est vendu. Par contre, les tommes, nous les gardons pour nous, elles constituent notre réserve de fromage pour toute l'année – et ceci représente une belle économie ! Lait, beurre et tommes nous rapportant de l'argent, une déduction est pratiquée sur les frais de garde des vaches qui ont fourni ce lait et ses dérivés.

Personnellement, je trouve cet arrangement inadmissible. Car je ne considère pas la valeur marchande du lait que nous fournissent ces vaches – je le reconnais, ça m'est égal. Je considère, moi, le travail que cela nous donne. Et il est vraiment lourd : traire, faire le beurre et la tomme, aller en champ, paler l'écurie, mener le fumier, etc. – alors que nous pourrions passer de si belles vacances sans toutes ces corvées –, et pour si peu de rapport, me semble-t-il.

Mais il est vrai que le temps que nous consacrons à ce travail ne compte pas. Et nous n'avons pas la même notion du temps et de l'argent que nos parents et les adultes en général. Cependant, ça me révolte toujours, bien que nous n'entendions pratiquement jamais parler d'argent : nous ne savons que ce que nous surprenons parfois au hasard de conversations qui ne sont pas destinées à nos oreilles.

Encore une question : Pourquoi les vaches donnent-elles un lait abondant au début de l'été, tandis qu'il va en diminuant jusqu'à devenir rare ou même inexistant à la fin de la saison ? Parce que toutes vont faire un veau dans l'automne ou plus tard dans l'hiver, et que la production de lait est liée à la date de la mise bas : petit à petit elle faiblit et disparaît complètement jusqu'à la nouvelle naissance. (En général, une vache fait un veau par an, pendant dix ou douze ans.)

– Huguette, tu es prête ? C'est Vincenne. Elle a... neuf kilos et demi. Tu marques, ou je marque, sur le carnet ? Et je vide le seau ?

– Non, laisse-le. Je vais le faire. Tu peux retourner traire la suivante.

Je laisse tout tel quel afin qu'elle puisse vérifier si je ne me suis pas trompée. Papa arrive à son tour avec son seau plein à ras bord.

– Hé ! Dépêche-toi ! Tu n'as pas encore vidé le seau ? Et le mien, où je vais le mettre, alors ?

Et Huguette de se presser, de courir...

– Oui, oui, ça y est, j'arrive ! Il fallait bien que je remette du bois au feu.

Elle vérifie, verse le lait de Vincenne dans l'écrémeuse, remet le seau en place. Papa aussitôt le remplit avec le lait de Gitane.

– Treize kilos, tu te rappelles ? C'est Gitane.

Huguette prend le carnet :

Vincenne .... soir : 9,5 kilos
Gitane .... soir : 13 kilos

Puis, vite, elle va tourner l'écrémeuse. Pas le temps de s'amuser ! Heureusement qu'on ne fait la pesée que trois fois dans l'été !

Quand je pense qu'ils croient nous faire un beau cadeau en nous donnant des vaches qui ont du lait, et beaucoup de lait... Les avis sont bien différents suivant le point de vue adopté, évidemment. Une chose est sûre : on ne risque pas de chômer. Donc on ne risque pas de s'ennuyer...

L'ORAGE

Depuis plusieurs jours déjà, l'orage menaçait. De nombreux signes nous laissaient présager sa venue : la chaleur accablante, les taons et les mouches encore plus agaçants, l'énervement des vaches, les fourmis volantes sur le toit de la maison, le lait qui tournait, le ciel très rouge, le soir, au coucher du soleil, enfin le principal : ces vilains nuages noirs que le vent agitait sans cesse dans le ciel.

Durant la nuit, ils se sont amoncelés, et, ce matin, lorsque nous nous levons, à quatre heures et demie, le ciel est de plomb. Nous voyons tout de suite que, cette fois, nous y sommes : aujourd'hui, nous n'y échapperons pas !

Papa se tourne vers moi :

– Ça va être mauvais. Dépêchons-nous de traire et de sortir les bêtes, qu'elles puissent manger avant le gros de l'orage.

– Je pourrai rester par ici, avec les moutons ?

– Eh non ! Tu sais bien que l'herbe, ici, est pour les vaches.

– Oui... Mais là-haut, j'ai peur – surtout toute seule !

– Allons ! Tu ne risques rien ! Simplement, ne reste jamais sur place. Ne t'abrite pas sous un mélèze ou un sapin. Marche toujours, mais ne cours surtout pas.

Je n'insiste pas. Je sais que Papa ne reviendra pas sur sa décision. Ce n'est pas notre premier orage, et chaque fois il nous a fallu monter au Prarion quand même. Résignée, je prends mon seau et file vers l'écurie. Nous trayons tous les deux en silence, méditant sur les orages passés, et davantage encore sur celui qui s'annonce.

Déjà de brefs éclairs zèbrent le ciel, auxquels répondent quelques tonnerres, cependant assez éloignés pour le moment : de petits grondements, mais qui vont aller en s'amplifiant. Lorsque nous sortons, la traite finie, nous constatons que le ciel est plus chargé encore : on dirait que tous les nuages d'un noir d'encre se sont donné rendez-vous sur notre tête. Ils se sont tous accumulés ici, sur le Prarion, sur notre versant à nous. Aucun doute : l'orage est pour nous, et il sera fameux !

Nous expédions notre petit déjeuner en vitesse. Le temps presse. Huguette détache les vaches, Papa part avec elles, mais pas trop loin de la maison, pour pouvoir rentrer vite en cas de besoin : pendant les gros orages, les vaches s'affolent. Si on ne prend pas garde à donner le signal du retour assez tôt, elles n'obéissent plus. Elles partent au galop, dans n'importe quelle direction, aveuglées et ivres d'épouvante. Elles foncent en général vers le bas, pour s'abriter sous les sapins, courant un double danger, car la foudre tombe davantage sur les mélèzes ou les sapins, et aussi sur tout ce qui se déplace rapidement.

Moi, je sors mes moutons de leur parc, et nous montons vers le Prarion. Eux non plus n'aiment pas l'orage, et, tête basse, ils vont bon train. Une fois arrivés sous le rocher, ils se mettent à brouter gloutonnement, comme s'ils avaient peur de manquer de temps ou de ne pas trouver assez pour se rassasier. Ils se dépêchent. Leurs museaux ne se lèvent pas de terre. Ils avalent tout rond.

Les éclairs nous aveuglent à présent sans discontinuer. Les tonnerres discrets sont devenus de terrifiants roulements de tambour. Je suis mes moutons, ne les quitte pas d'une semelle. Soudain, un énorme éclair, là, tout près de nous, suivi d'un retentissant coup de tonnerre : la foudre n'est pas tombée loin. En même temps, voilà que la pluie se déchaîne et déverse sur nous des trombes d'eau. Mes moutons apeurés s'arrêtent de manger. Ils se rapprochent de moi et m'entourent. Ma présence les rassure ? En tout cas, la leur me rassérène. Nous marchons tous ensemble. Nous nous déplaçons sans interruption à petits pas, et eux, dociles, massés autour de moi, m'accompagnent.

L'orage balance toute sa force destructrice. La montagne entière s'illumine d'éclairs incessants. Le fracas des tonnerres est étourdissant. Je tremble de peur et parle à mes moutons pour les calmer – ou plutôt pour me calmer moi-même : dans tout ce bruit, comment pourraient-ils m'entendre ? Malgré les torrents d'eau, je n'ose pas ouvrir mon parapluie, car le manche en fer pourrait attirer la foudre. Du moins, je le crois. Je remonte simplement bien haut la capuche de ma pèlerine.

Tout à coup, comme s'il fallait en rajouter, il se met à grêler. Des grêlons petits, d'abord, puis gros comme des noisettes. Ça tombe dru. Ça tambourine sur ma capuche. Pour ne pas en prendre plein le visage, je pique du nez, tout comme mes moutons.

Et nous continuons de marcher. Marcher. Surtout, ne jamais rester sur place.

L'orage culmine. La foudre frappe à plusieurs reprises les mélèzes ou les rochers, pas très loin de nous, calcinant les uns, faisant éclater les autres. Le vacarme est assourdissant. La montagne en est tout ébranlée.

– Oh ! mon Dieu, protégez-nous.

D'instinct, je confie nos vies à Dieu. À chaque nouvel éclair, je fais un grand signe de croix. « Superstition », direz-vous ? Oh ! Non ! Mais foi absolue en un Dieu secourable. Dans la fureur de la tempête, Lui seul peut nous prendre sous sa garde, et je me mets à prier.

Quelle heure est-il ? Je ne sais pas, mais je sens que ce n'est pas le moment du retour.

La violence de l'orage ne s'atténue pas. Il y a trop longtemps qu'il se préparait. Ça claque de tous côtés. Je suis à moitié aveuglée, et de ma pèlerine dégoulinent de vrais petits filets d'eau. Voilà peut-être une heure que nous subissons ce cataclysme. N'y tenant plus, je commence doucement à redescendre : de toute manière, les moutons ne mangent plus. Alors, déguerpissons de cet endroit maudit.

Comme nous pénétrons dans le bois de mélèzes, je vois une silhouette indistincte qui s'avance vers nous : c'est Papa. Inquiet de l'intensité qu'atteint l'orage, il vient à notre rencontre.

– Ça va ?

– Oui, oui.

– Ça claque, par là-haut ?

– Oh, oui, alors !

– Tu aurais dû redescendre plus tôt !

– Ce n'était pas l'heure.

Sa présence me réconforte. Nous activons un peu nos moutons.

– Comment se fait-il que tu aies déjà rentré les vaches ? Il est tard ?

– Non, à peine dix heures. Mais lorsque la grêle s'en est mêlée, elles sont parties dans toutes les directions. Heureusement que je n'étais pas loin. Avec Huguette, on a eu du mal à les faire rentrer. Et toi ? Ça a grêlé aussi, au Prarion ?

– Oh oui ! Gros comme des noisettes, et au moins pendant dix minutes. Et la foudre est tombée pas très loin de nous.

Nous devons parler très fort pour nous entendre, dans ce tintamarre. Lorsque nous arrivons aux Combettes, nous rentrons les moutons à l'écurie, et non dans le parc : il fait trop mauvais. Tout heureux d'être enfin au sec, ils se secouent énergiquement pour éliminer la pluie retenue dans leur laine. Puis nous faisons le tour de la carrière et nous poussons la porte du chalet.

Huguette est contente de nous voir. Elle avait peur, seule grande ici. Il fait en effet très sombre, presque nuit. Le compteur électrique a disjoncté depuis longtemps. Pourtant de légères flammèches dorées se promènent autour de la lampe qui pend à une poutre, au centre de la cuisine. Le rugissement puissant de la pluie, sur le toit de tôle, résonne de façon impressionnante – sans compter que l'orage s'acharne de plus belle.

Huguette me donne de quoi me changer, car je suis trempée jusqu'aux os. Le bol de café au lait bouillant qu'elle me tend me réchauffe bientôt.

Pendant le repas, c'est un déluge de paroles. D'une voix sonore, nous racontons longuement nos émotions, nous comparons nos mésaventures et mêlons nos impressions : c'est un moyen d'évacuer la peur qui s'était nouée en nous.

SOIR D'ORAGE

Tout l'après-midi, l'orage claque, gronde, explose en éclairs stridents.

Cinq heures sonnent, et il est encore là – un peu moins violent cependant, ce qui me vaut de remonter les moutons au Prarion quand même. Eh oui ! C'est comme ça ! Heureusement, Chantal vient avec moi. À deux, nous avons moins peur. Et comme la nuit tombe plus vite, vu la noirceur du ciel, nous avons la permission de redescendre plus tôt que d'habitude.

Nous sommes tous de retour au bercail, maintenant, et voilà que l'orage regagne de l'ampleur. En finira-t-il donc jamais ? Nous avons pris place pour le repas du soir. Au centre de la table est posée la lampe à pétrole, qui relaie l'électricité défaillante. Sa flamme vacillante anime les ombres. C'est moitié fascinant, moitié inquiétant... Mais ce qui redevient effrayant pour de bon, c'est l'orage !

Les éclairs zigzaguent dans le ciel. Par le carré de la fenêtre, on les voit qui déchirent la nuit. La foudre rôde autour de la maison, on sent dans l'air son odeur de soufre. Il ne se passe que quelques secondes entre l'éclair et le tonnerrre assourdissant qui le suit.

Nous nous dépêchons de finir le souper. Nous ne sommes pas à l'aise dans cette grande cuisine toute noire, sans cesse illuminée d'éclairs. La table débarrassée, la vaisselle rangée, nous nous réfugions dans la chambre de Papa. Ici, il fait meilleur. La pièce est plus petite, les éclairs nous paraissent moins redoutables, on entend un peu moins la pluie ronfler sur le toit. Bref, nous nous sentons davantage en sécurité.

Comme chaque soir, nous nous agenouillons pour la prière en commun. Huguette a troqué la lampe à pétrole contre un cierge bénit. Tandis que nous prions, nos yeux suivent la danse tremblante de la petite flamme. Ce soir, pas de rire intempestif, nous n'avons pas le cœur à ça.

Après la prière rituelle, nous nous relevons et choisissons chacun un coin où nous asseoir. Nous n'irons pas au lit maintenant. Lorsque les orages sont aussi violents que celui-ci, ils sont très dangereux. La foudre qui tombe sur les mélèzes alentour menace le chalet lui-même, et pour parer à toute éventualité, nous restons prêts, éveillés. Pas question de nous séparer et de nous coucher tranquillement avant que l'orage, ayant atteint l'extrême de sa rage, n'aille dès lors en décroissant. Nous guettons le moment de cette intensité maximale : il y a toujours un éclair et un tonnerre plus terrifiants que tous les autres pour nous l'indiquer.

En attendant, Papa décroche le grand chapelet noir suspendu à un clou à la tête de son lit. Il le donne à Huguette, et, tandis que ses doigts égrènent un à un *Notre Père* et *Je vous salue Marie*, nous prions tous ensemble. Parfois, surpris par les clameurs de l'orage, nous sursautons. Nous faisons alors en chœur un large signe de croix, et, impertubables, nous continuons notre prière.

Les heures passent... Nous ne pouvons pourtant rester éveillés toute la nuit : demain, le labeur quotidien recommence. Allons ! Si la foudre ne nous a pas frappés jusqu'ici, elle ne le fera plus... Du moins, nous voulons l'espérer !

Nous nous sommes mis sous la protection de Dieu, il n'en est pas de meilleure ; et nous faisons aussi confiance au chalet, qui en a déjà tant supporté.

Le chapelet terminé, nous discutons un peu, puis nous gagnons nos chambres.

Papa veillera sûrement une partie de la nuit : c'est à lui qu'incombe la responsabilité de la maisonnée.

Nous, vaincus par la fatigue et les émotions, nous nous endormons bientôt – Solange, Jeannine et moi serrées les unes contre les autres, la tête enfouie sous nos couvertures. Nous laissons le ciel continuer sa triste sarabande jusqu'à l'épuisement de sa colère. Petit à petit, l'orage s'estompe, cédant la place au silence.

LE BROUILLARD

Ce matin, je suis surprise au réveil du grand silence qui règne après le vacarme que l'orage nous a mené toute la journée d'hier et jusqu'à une heure avancée de la nuit. Maintenant, lassé, il est allé semer sa terreur sous d'autres cieux.

Ce silence est bienvenu, reposant, mais en même temps si profond qu'il m'en paraît troublant, presque inquiétant. Je me lève et vais à la fenêtre. Oui, c'est bien ce que je craignais : après l'orage et la pluie, le brouillard a pris le relais.

Derrière la vitre, plus rien n'existe sauf une masse compacte de nuages blancs. Le regard ne porte pas à plus de deux mètres. Il n'y a plus ni ciel ni terre, seulement cette blancheur qui recouvre tout, qui englobe tout, qui étouffe tout. Mon Dieu, quelle horreur ! Moi qui ai si peur du brouillard !

Il ne me reste qu'un espoir : il est très remuant, aussi peut-être aura-t-il disparu avant que je parte en champ. Essayons de ne pas trop nous affoler à l'avance.

J'enfile ma blouse et je vais traire. Pendant ce temps, effectivement, le brouillard se retire, du moins ici, aux Combettes, car la visibilité reste très limitée encore : nous ne distinguons ni le versant d'en face, ni les montagnes, ni même Saint-Gervais qui se trouve pourtant juste à nos pieds. Le brouillard navigue par nappes. Pour l'instant, il nous épargne. Jusqu'à quand ? Nous verrons bien. Profitons du moment présent.

Quand je pars avec mes moutons, l'accalmie s'est maintenue. Chance encore, je ne rencontre le brouillard ni pendant la montée, ni au Prarion. Il s'est replié sur les montagnes et les dérobe à ma vue. Mais que m'importe, tant qu'il reste là-haut et que je vois clair, je n'en demande pas davantage.

Mais c'est trop d'optimisme. Je sais bien pourtant qu'il ne faut rien espérer du brouillard et qu'on ne peut pas lui faire confiance : je suis au Prarion avec mes moutons depuis un petit moment, et que vois-je arriver, convergeant d'en bas et d'un peu partout à la fois ? un gros nuage tout blanc, tout épais, qui remplit peu à peu tout l'espace... *mon* espace. On dirait un mur cotonneux qui avance. Il a un front de plusieurs centaines de mètres. Il est haut « jusqu'au ciel ». Il roule sur lui-même, c'est sa façon de marcher. Inexorablement je vois disparaître les sapins, les rochers, tous mes points de repère. Bientôt, s'approchant toujours, il avale un à un mes moutons. Je le vois avec épouvante se diriger sur moi. Je vais être prisonnière à mon tour, alors je crie :

– Oh non ! sale brouillard ! Va-t-en !

Mais lui, indifférent à ma supplique, s'avance en roulant, s'avance en silence, s'avance imperturbable. Il est là prêt à me toucher. Je tends les bras pour le repousser. Horreur... Il avale mes mains, mes bras, puis moi tout entière. Il entre en moi à chaque inspiration. Je suis complètement enserrée par lui, l'ennemi est en moi autant qu'autour de moi.

Soudain, j'ai l'impression que c'est la nuit, mais une nuit blanche. Mes yeux, bien que grands ouverts, sont aveugles, ils ne distinguent plus rien, ils sont tout emplis de brouillard. Je ne vois même plus mes pieds. Tous les bruits sont feutrés. La panique s'empare de moi, je crois que je vais hurler. Mes moutons sont sûrement tout près ? Pourtant, je ne les vois pas, et le bruit de leurs sonnettes me parvient comme de très loin. J'essaie de me raisonner : « Allons, Michelle, tu sais bien qu'il va repartir. Les moutons sont toujours là. Un peu de patience et il s'en ira comme il est venu. »

Mais je m'efforce en vain au calme, je ne contrôle plus ma peur qui enfle démesurément. Suis-je encore sur terre ? N'ai-je pas plutôt été projetée sur une planète inconnue ? Je marche en direction des sonnettes dont je perçois à peine le tintement – mais c'est le seul signe qui me rattache à la réalité. Il faut que je *voie* quelque chose de vivant, il faut que je voie mes moutons.

Je marche à l'aveuglette, et bien que je connaisse les lieux par cœur, mes pieds ne cessent de buter sur des pierres, des rhododendrons ou simplement des mottes de terre. Une branche me fait un croche-pied et je tombe. À quatre pattes dans l'herbe mouillée, je me mets à pleurer de désespoir.

Soudain, là, juste devant moi, une ombre qui se déplace en courant. Je pousse un cri d'effroi – un fantôme ? Non, tout simplement un agneau : il est si petit qu'il n'a pas encore de sonnette. C'est pourquoi je ne l'ai pas entendu. D'ailleurs, aussi effrayé que moi, il bêle et s'éloigne d'un bond vers la voix de sa mère qui l'appelle. Je me relève, je suis à nouveau seule, engloutie dans tout ce blanc.

Le Prarion me semble semé d'obstacles. Alors, résignée, sachant qu'il n'est pas de secours possible, j'attends, je ne bouge plus, tremblant de froid autant que de peur. Je serre bien fort mon manteau autour de moi. L'humidité me pénètre impitoyablement. J'attends, stoïque, jetant des regards apeurés de tous côtés, guettant les premiers signes d'une éclaircie.

Ça ne peut pas durer toujours ? Ce mur de brouillard, depuis le temps qu'il glisse et défile, aura bien une fin ?

Mais oui... Il devient un peu moins dense. Je distingue un mouton, puis deux, le profil d'un sapin, la silhouette d'un petit rocher... Le brouillard cède la place comme à regret, s'accrochant à la laine des moutons, aux branches des arbres avant de s'éloigner définitivement pour monter à l'assaut des pentes du mont Blanc. Par-ci par-là, de minces effilochures s'attardent, puis, tout doucement, le Prarion retrouve son aspect familier.

Quand même inquiète, je compte mes moutons. Mais il n'en manque pas un. Ils broutent tranquillement, sans la moindre trace de frayeur : lorsqu'ils mangent, leur univers se réduit au sol seulement ; et comme ils ont le museau et les yeux au ras de l'herbe, le brouillard ne les dérange pas – pourquoi seraient-ils troublés ?

Ma respiration se calme peu à peu. La peur qui m'avait saisie me quitte, le brouillard l'emporte avec lui. Pour en finir avec ce mauvais moment, pour reprendre mon équilibre et retrouver tout mon courage, j'attaque à pleine voix tous les refrains qui me passent par la tête.

Ai-je été bête de me laisser effrayer ainsi ! Mais je ne supporte pas de me sentir isolée, comme privée de la vue, de l'ouïe, retranchée du monde. La panique se lève du plus profond de moi, en vagues impossibles à endiguer, hors toute raison. Je ne me fais pas d'illusions. Le brouillard, à sa prochaine attaque, me trouvera tout aussi démunie. Et il reviendra, il ne reviendra que trop tôt, se moquant pas mal de moi et de mes terreurs.

LA BEAUTÉ

Un jour, quelqu'un m'a demandé :

– Mais que faites-vous, là-haut, à garder vos moutons, des heures durant ? Vous ne vous ennuyez pas ?

– Oh non ! L'ennui, je ne connais pas ! Je ne perds pas mon temps à m'ennuyer, il y a tellement mieux à faire !

– Quoi, par exemple ?

– Cela dépend du temps et du nombre que nous sommes.

– Ah ?

– Oui. Lorsqu'il y a de l'orage, je marche avec mes moutons et je prie. Lorsque nous sommes plusieurs, nous jouons ; nous ne sommes jamais à court d'idées ! Et nous chantons. Oh oui ! nous chantons presque toujours. Nous puisons invariablement et inlassablement parmi nos beaux chants savoyards. Nous les connaissons par cœur, ils expriment si bien ce que nous ressentons. Et le choix ne manque pas ! Nous avons la voix très juste, et nous aimons à l'exercer dans ces vastes solitudes. Seule, je lis et, surtout, les jours de grand beau temps, j'admire ! Je m'assois dans l'herbe rase, face aux montagnes ; je fais silence. J'ouvre tout grands mes yeux, et je regarde, je regarde jusqu'à en avoir mal, si intensément que parfois la montagne s'anime. Ce petit point noir, là-haut – sans doute un vulgaire caillou –, je le fixe tant qu'il prend vie : c'est quelqu'un qui monte ou descend, selon mon désir. Je peuple les sommets de personnages tirés de mes livres de montagne et que j'imagine montant, peinant, suant... mais ravis. Je rêve ; et j'écoute... un sérac qui craque, une petite avalanche qui tombe dans un nuage de poussière... Ce fil dessiné sur la neige – un chemin qui monte jusqu'à la cime –, je l'emprunte derrière eux, j'arrive à mon tour au sommet, sur le toit de l'Europe, et je pousse un soupir de bonheur ! Entre ciel et terre, extasiée, je vis l'apothéose qu'éprouve chaque alpiniste après l'effort, le vertige du vainqueur.

Tout cela n'est qu'imagination, bien sûr, mais si vive qu'elle a la force de la réalité. Je regrette tant de ne pouvoir aller au sommet du mont Blanc, mais là, c'est comme si j'y étais ! Et moi, simple petite bergère, je possède un royaume – je possède plus qu'un roi : mon trésor n'est pas d'argent sonnant, ma richesse, c'est la beauté : la pureté intense du ciel au-dessus de moi, sans un nuage, d'un bleu si profond parfois qu'on a l'impression, même en plein jour, d'y voir les étoiles ; la blancheur immaculée des neiges éternelles déployées comme des ailes ; plus près de moi, le Prarion et son arc-en-ciel de verts – vert émeraude des sapins, vert très pâle des mélèzes, vert franc de l'herbe –, la fragilité d'une petite fleur, le relief saisissant des montagnes, la symphonie des clochettes de mes moutons répercutée à tous les échos, et, derrière les quelques bruits familiers, le silence somptueux.

Et je me pose des questions : pourquoi toute cette beauté ? et qui l'a faite ? Alors, tout naturellement me vient l'idée de Dieu, l'Unique capable de créer cette perfection. Et pour qui ? Aujourd'hui : pour moi, puisque je suis seule à la contempler. Il y a bien les moutons, qui broutent quelque part. Mais eux ne s'intéressent qu'à la qualité de l'herbe. Ils se nourrissent le corps, quand moi, je nourris mon cœur et mon âme. Eux s'alourdissent à se repaître ; mais moi, la beauté que je dévore me rend forte et légère, si légère que je crois m'envoler.

La beauté, Dieu ne la donne-t-il pas justement pour élever l'âme de celui qui la ressent, jusqu'à lui faire rencontrer son Créateur ? Alors, on fait un bout de chemin avec Lui, planant loin au-dessus de notre ordinaire, avant de redescendre, de réintégrer notre pauvre corps et de retrouver les réalités d'en bas... Mais nos yeux brillent encore, reflets d'une lumière intérieure et de Celui qui est venu nous habiter.

Surtout lorsqu'il fait beau temps, Dieu, je le rencontre chaque jour. Il est là, Il est la beauté. À travers elle, je Le vois. Dans le silence, je L'écoute.

Bien des années se sont écoulées. Si dès mon enfance j'ai été sensible à la beauté physique et matérielle de ce qui m'entourait, si je l'ai comprise et aimée dès mon plus jeune âge, aujourd'hui seulement, avec le recul de la maturité, je peux reconnaître et apprécier à sa juste valeur une autre sorte de beauté, qui faisait alors la trame de notre vie de tous les jours : nous allions souvent seuls en champ au Prarion. Il nous arrivait de faire des rencontres – simples promeneurs ou habitants des montagnes. Eh bien, jamais, non, jamais, personne n'a été méchant, sale, grossier, mauvais avec nous. Jamais personne ne nous a fait du mal ou n'a blessé notre sensibilité d'enfant. Aussi pensions-nous que partout l'humanité était à l'image du coin de terre protégé où nous grandissions. La télévision n'existait pas encore, et nous ignorions presque tout du reste du monde.

Aujourd'hui, je mesure quelle chance était la nôtre, combien nous étions privilégiés. Tant de millions d'enfants sont plongés dès leur naissance dans la guerre, la misère, la maladie, la souffrance, le vice, le mal, l'horreur sous toutes ses formes. Tant de gens ne savent même pas que la beauté existe, ni dans les choses, ni dans les êtres, ni dans l'Être suprême ! Et nous, nous avions tout...

À moins d'être aveugle ou foncièrement méchant, comment ne pas être amoureux de la beauté, de la pureté ? Comment ne pas voir que, malgré parfois les difficultés de notre vie, nous étions comblés ? Et à moins d'être bien ingrats, ne devons-nous pas en remercier Dieu d'abord, nos parents ensuite ?

D'aucuns penseront peut-être que mes joies étaient bien « désuètes »... Mais le bonheur, ce n'est pas l'argent, ce n'est pas la jouissance sous aucune forme, ni la possession des biens de la terre. Pour moi, la richesse – la vraie – était et demeure : vérité.

LA SOLITUDE

Du poste T.S.F. posé sur l'étagère de la chambre de Papa sort la voix nasillarde d'une chanteuse qui répète : « *La solitude, ça n'existe pas, non, la solitude, ça n'existe pas.* »

Je suis assise bien sagement sur le banc de la cuisine, à regarder Huguette qui fait le beurre. Dès que j'entends ces paroles, mes pensées s'évadent. « La solitude, ça n'existe pas » ? Oh ! comme elle est fausse, cette phrase ! Venez donc là-haut, dans la montagne, et vous verrez si « la solitude, ça n'existe pas » ! Faut-il dire n'importe quoi, dans une chanson ?

La solitude, qui n'en a fait l'expérience, un jour ou l'autre ? Je n'ai encore que quatorze ans à peine. Pourtant, ma condition de petite bergère fait que c'est tour à tour une amie ou une ennemie que je côtoie chaque jour.

– Une amie ou une ennemie ?

– Oui, cela dépend du temps, de l'humeur, des occupations.

Quoi qu'il en soit, je la fréquente trop souvent pour pouvoir l'ignorer. Nous nous connaissons bien toutes les deux, nous sommes si souvent face à face !

Il existe diverses formes de solitude, comme il y a aussi diverses façons de la vivre. Moi, j'en connais plusieurs aspects.

La première sorte de solitude, c'est celle que j'aime : je suis seule sur la montagne (avec mes moutons, mais ils ne comptent pas), assise ou couchée dans l'herbe rase. Le soleil brille dans un ciel bleu sans nuage. Autour de moi, un paysage magnifique, des montagnes grandioses. Le silence est roi. La brise légère joue dans mes cheveux. Il fait chaud.

Je suis seule, mais je me sens bien, merveilleusement bien. Je n'ai besoin de personne. Même, une présence me gênerait : cette solitude met mon cœur à nu, et, pudique jusque dans l'expression de mes sentiments, je préfère ne les partager avec personne.

Sans l'avoir forcément choisie, j'accueille cette solitude en amie. Union parfaite du corps et de l'esprit. Solitude acceptée, aimée, recherchée, bénie. Elle est baignée de joie, de sérénité, de douceur. Elle me comble de bien-être. Je ne suis plus qu'émerveillement, contemplation, admiration. En moi monte une prière muette devant la divine beauté offerte à mon regard, devant la paix qui m'habite. On ne communie jamais aussi fort avec la nature que dans une solitude totale.

Telle est la solitude joyeuse de ma jeunesse, des jours de beau temps. Elle signifie insouciance, bonheur parfait de vivre sur cette terre, de faire partie du monde, d'être tout simplement là, perchée sur ce coin du Prarion, face à l'immensité, face à Dieu, sans artifice d'aucune sorte, en parfaite harmonie avec tout ce qui m'entoure – le visible et l'invisible.

Solitude qui élève l'âme, où je rencontre Dieu dans sa beauté – du moins, je pense que Dieu, c'est aussi cela : Il est la Paix, la Joie, l'Amour, la Beauté, le Silence.

Solitude qui m'ouvre un paradis où je me sens déjà accueillie et acceptée. Oh oui ! Que m'importe d'être seule ! Je ne me sens pas seule ! Car certaines présences, bien qu'invisibles, je les perçois ; même sans les écouter, je les entends. Comment exprimer un bonheur tellement profond, tellement complet ?

La deuxième forme de solitude, à laquelle je suis souvent confrontée, pourrait s'appeler isolement. C'est la solitude-épouvante qui me tord les tripes lorsque, au Prarion, je suis cernée par le brouillard qui noie dans sa blancheur toutes choses, même mon propre corps. Celle qui fait que je me demande si je suis bien encore quelqu'un ; si le reste du monde existe toujours ; s'il ne va pas surgir devant moi quelque fantôme

– ou le diable lui-même. Celle qui me donne envie de hurler pour matérialiser ma peur.

Solitude-panique d'un corps qui n'est pas fait pour être seul dans l'univers. Solitude des cris et des pleurs devant des situations trop grandes pour moi. Je ne me retrouve pas. La présence de mes moutons ne me suffit pas, parce qu'un mouton ne pense pas, ne parle pas, n'a pas ce besoin vital de compagnie : il ne souffre pas d'être seul, même dans ces situations qui me semblent à moi si inhumaines parce qu'elles me dépassent.

Alors, je me sens dévorée, avec cette unique sensation : je ne peux rien faire pour y échapper, seule, je suis seule dans cette immensité aujourd'hui trop restreinte, où je n'ai à espérer le secours de personne pour passer ces mauvais moments.

Elle est terrible, la solitude-panique, mais au moins elle me pousse à sortir de moi-même pour aller à la rencontre des autres. Si je m'y trouve contrainte, je la refuse et mon esprit se révolte. Je voudrais partir... Je ne le fais pas parce que je ne dois pas ; parce qu'il faut rester ici pour que mes moutons mangent ; parce qu'il n'est pas l'heure. Je ne le fais pas, mais j'attends le moment où je pourrai – enfin – redescendre ; voir les miens à nouveau, leur parler, leur expliquer ma peur – mais même si je la garde pour moi, les retrouver suffit à me consoler, dès que je suis parmi eux mon bonheur refleurit et j'oublie mon désarroi.

Puis il y a une troisième forme de solitude – perfide celle-là. Elle commence sans que l'on s'en aperçoive, par une douce mélancolie. Petit à petit, si l'on n'y prend garde assez tôt, elle nous enferme, nous cadenasse en nous-même si complètement qu'elle nous enlève jusqu'à l'envie de vivre.

Cette solitude est grave. Là, il y a danger. Car elle veut dire repli sur soi, isolement du monde, refus de vivre et au bout du chemin : désespoir. C'est la domination du corps sur l'esprit qui consent. On ne voit plus rien, on n'entend plus rien, on n'espère plus rien.

Vide complet, désolation. Même plus l'envie de regarder son petit moi intérieur. On est enfermé, prisonnier, sans espérance, déprimé, dégoûté. On ne sent même plus la souffrance. Mort à soi-même, mort au monde, mort aux autres, mort à tout et à tous, mort à la vie. On est seul, morbidement seul, et on ne veut rien faire pour en sortir.

Qu'il s'y cache une certaine complaisance, un goût du malheur, même s'il est des plus malsains, peu nous importe. On n'a plus qu'un désir : ne plus exister.

Ah ! Quelle horreur que cette solitude-là ! Quel cafard ! Triste solitude que celle qui refuse et qui *se* refuse : car si une main amie se tend, c'est la fuite. Refus du contact, refus de l'amour, refus du partage, refus, refus, refus...

Cette solitude aussi je la connais bien. Je suis trop souvent seule. Maman me manque trop. Je suis trop jeune pour porter un tel fardeau : il m'écrase. Parfois je pleure, je crie, je hurle ma solitude... Mais comme je suis seule, précisément, personne ne m'entend. Alors je me tais. Je me replie sur ma souffrance. Je ferme toutes mes écoutilles. Je m'enferme au-dedans de moi et parfois je sombre dans le plus triste désespoir.

Alors, je n'ai plus faim, je n'ai plus soif, je n'ai plus chaud, je n'ai plus froid, je n'ai plus sommeil, je n'ai... Je n'ai plus rien du tout, je ne suis plus rien du tout – ou plutôt je ne suis que souffrance. Seuls mes yeux disent ma douleur, mais comme ma langue reste muette... Un regard, ça ne fait pas beaucoup de bruit ! Pas étonnant que personne ne l'entende !

Toute la journée je traînerai ma solitude. Pleurant en silence, pleurant en cachette. Loin des regards, loin des oreilles, loin de tous, loin du monde. Et quand viendra le soir, rompue de fatigue, vaincue, je m'endormirai dans un dernier sanglot, blottie entre Jeannine et Solange. Le sommeil, ce grand réparateur, viendra cicatriser ma trop grande souffrance.

Le ciel miroite d'étoiles : demain il fera beau, le soleil brillera à nouveau, et avec lui ma joie de vivre renaîtra.

« La solitude, ça n'existe pas »... Perdue dans mes pensées, je n'ai pas remarqué que la chanson s'est tue depuis un moment. Huguette me regarde d'un air attendri.

– Eh ! Tu as bientôt fini de rêver ? Il est temps de te réveiller ! Le déjeuner est prêt, goûte-moi ce beurre, un régal !

Je lui souris, et bientôt le soleil nous visite de sa chaude caresse. Il fait beau ? Il fait chaud ? C'est si bon ! Vive la vie !

COLCHIQUES DANS LES PRÉS

Colchiques dans les prés
Fleurissent, fleurissent,
Colchiques dans les prés
C'est la fin de l'été.
La feuille d'automne
Emportée par le vent,
En ronde monotone
Tombe en tourbillonnant.

Septembre se termine.

Dans les champs, des myriades de minuscules fleurs blanches ont poussé parmi l'herbe rasée, habillant la terre, dernière splendeur offerte par Dame Nature, la parant avant son endormissement comme pour les noces d'une nouvelle épousée.

Par-ci par-là quelques colchiques mauves annoncent l'automne. Devant la maison, le merisier commence à laisser tomber ses feuilles sous la caresse du vent. Les mélèzes deviennent des bouquets d'or dans la limpidité du ciel bleu. Les sorbiers ont revêtu leurs grappes de perles rouges innombrables, riches atours brillant dans le soleil. L'eau chante plus clair en coulant dans le bassin. La carrière a été vidée une deuxième fois. Le bruissement du vent dans les sapins est si tendre... si tendre...

Le paysage a perdu l'éclat violent qu'il avait au cœur de l'été. Les Mathieu sont repartis, le petit chalet est fermé. Les touristes ont délaissé nos chemins escarpés. Il n'y a presque plus personne sur la montagne. Tout est calme. Tout est redevenu silence.

Quelques lapins courent encore autour de la maison. Les poules picorent les dernières sauterelles. Même les vaches semblent se déplacer avec plus de langueur. Elles sont toutes tranquilles.

Quelle majesté ! quelle douceur ! Mais aussi quelle profonde mélancolie... L'automne vient d'arriver. Sans faire de bruit... L'automne est là.

Nous prolongeons le temps que nous passons dehors, Papa avec ses vaches, nous avec nos moutons, nous attardant sur cette montagne qui est si belle, qui nous est si chère et que nous allons bientôt quitter.

Nous contemplons encore..., nous emplissant jusqu'à en déborder de ces ultimes magnificences. Nous sommes devenus très rêveurs. La nature agit sur nous comme un baume apaisant. Plus de disputes, plus de paroles fortes, plus d'agressivité en nous ni entre nous. Comme c'est beau !

Mais si tout est douceur et paix dans la nature, à l'intérieur de la maison, par contre, Huguette s'agite comme une poule qui cherche une place pour pondre un œuf.

Oui, il s'est mis à régner une certaine effervescence. Huguette s'active de plus en plus, range, nettoie, plie, empaquette, prépare, vide, lave, trie... ce qui doit rester ici, ce qui va redescendre. Elle a réduit le nombre de marmites et casseroles dont elle se sert, afin que nous puissions déjà frotter les fonds noircis et les décaper avant de les ranger. C'est le grand nettoyage aussi pour les seaux, les chaudrons, les moules à tomme, les brocs, et les tabourets à traire, et même les sabots : il ne doit plus rester une once de fumier sur eux. Tout est passé en revue, tout doit être impeccable.

Oh la la!... Huguette! Mais qu'est-ce qui lui prend ? On va bien revenir l'année prochaine ? Alors ? Est-ce utile de tellement laver ? Mais la règle est inflexible : tout ce qui reste aux Combettes doit reluire de propreté. Lorsque nous reviendrons, au printemps prochain, nous serons bien heureux de tout trouver nickel. C'est vrai. Mais quelle corvée ! Si au moins l'eau n'était pas aussi froide !

On finit de rentrer le bois, empilant soigneusement les grosses bûches contre les murs de notre chambre, et posant le petit bois en vrac au-dessus de la chambre de Papa.

Lorqu'il a rentré ses vaches, Papa est saisi par la même fièvre. Il trie ses carrons, prépare dans des sacs ceux qui vont redescendre. Il graisse courroies et sonnettes de ceux qui resteront ici et les range dans sa chambre, où seront placés aussi tous les ustensiles de cuisine. Pourquoi dans sa chambre ? Parce qu'avec la nôtre, ce sont les deux seules pièces qui ferment à clef et ne sont pas violées. En effet, si la porte de la cuisine est aussi fermée à clef, bien sûr, l'écurie, elle, ne l'est jamais. Et il arrive que des gens entrent dans l'écurie, enlèvent une planche de la cloison commune, pénètrent ainsi dans la cuisine... et volent ce qu'elle contient. Nous veillons donc à ne pas tenter les voleurs ; sinon nous serions aussi coupables qu'eux.

Papa s'occupe de même des cordes à foin et des outils qui seront, eux, remisés dans notre chambre.

Après que nous avons récuré pelles, pioches, tridents, fosseux, racles, étrilles, nous les faisons sécher, puis nous les enduisons d'une bonne couche d'huile qui les protégera de la rouille tout au long de cet hiver.

C'est drôle, on graisse tout : aussi bien les marmites, les casseroles, les chaudrons, la baratte, l'écrémeuse, que le fourneau avec ses tuyaux, les carrons, les courroies, les outils... Et le printemps prochain, il faudra commencer par tout relaver (du moins en ce qui concerne la batterie de cuisine, dont la plus grande partie reste sur place). Est-ce vraiment nécessaire de se donner tant de mal ? Eh bien, oui ! C'est même indispensable : autrement, pendant cette longue hibernation, ce sommeil de toute la maison et de son contenu, l'humidité ferait son œuvre parce qu'elle, elle ne dort pas. Elle piquerait de rouille tout de qui n'aurait pas été protégé. Alors mieux vaut prendre les précautions d'usage, car une fois que le mal est fait, il est trop tard.

Papa a des années d'expérience derrière lui. Depuis sa naissance, il a toujours vécu l'alpage, avec ses parents d'abord, puis pour son compte, ensuite. Alors, il sait ! Et nous, nous faisons ! Rien à dire, c'est dans l'ordre des choses.

Les caisses ayant servi de cages à nos lapins en haut de la maison sont vidées, nettoyées, rangées dans la grange. La maie est vidée et rentrée à l'écurie. Plié et rangé aussi, le parc à moutons : rien ne doit être laissé à l'abandon dehors. Propreté impeccable et ordre parfait, à l'intérieur comme à l'extérieur – quel boulot ! Heureusement que nous sommes plusieurs à mettre la main à la pâte !

Entre deux tâches, chacun de nous commence à préparer ses petites affaires personnelles.

Voilà le menu de nos journées, en ce moment, pendant la période (qui couvre une bonne semaine) précédant la démontagnure. Maintenant Maman ou Marcel montent plus souvent, presque quotidiennement, avec la jument et son tombereau. Ils évacuent à mesure ce qu'ils trouvent prêt.

Les tommes ont été empilées bien soigneusement dans des caissettes et nous attendent déjà à Beaulieu. Il ne reste plus que celles que Huguette fait une fois tous les deux jours, avec le peu de lait que donnent encore les vaches. On ne fait pratiquement plus de beurre. Les trois ou quatre derniers litres de cidre du tonneau sont mis en bouteille. Le tonneau, lavé et séché, prend lui aussi le chemin du retour. La cave est donc à peu près débarrassée. Dans un coin, le dernier cageot de pommes de terre attend d'être consommé. Le coffre à provisions, devant la chambre, est pillé : en ces quelques jours, nous mangeons toutes les bonnes choses qu'il abritait encore. Nos repas se trouvent donc être presque chaque jour des repas de fête !

Le linge est trié. Dans les armoires, celui qui reste ici est plié et empilé soigneusement, de même que, dans le coffre ayant servi tout l'été de penderie pour les « habits du dimanche », celui que nous remmenons. Nous gardons chacun une tenue propre pour le grand jour, et les vêtements que nous portons actuellement seront mis en vrac dans un sac pour être descendus et lavés en bas.

Ah ! quel remue-ménage !

– Papa, quand est-ce qu'on redescend ?

– Dans deux jours...

– Dans deux jours ? Ouais !

Eh oui, c'est comme ça ! Contents de monter... Contents d'être aux Combettes... Mais quand vient le temps : contents de redescendre. En fin de compte : toujours contents !

*
**

Cette fois, le départ est pour demain. Aujourd'hui, deux événements importants le rappellent.

D'abord, Émilien vient avec sa jeep chercher Parrain, à qui son grand âge interdit de redescendre à pied. Et puis, les propriétaires qui nous ont confié leurs vaches viennent les reprendre. En début d'après-midi, Charles, Firmin et Léonce arrivent. Après avoir bu un coup et bien discuté, ils remercient, paient (ou sont payés), attachent leurs vaches, les sortent de l'écurie... et s'en vont.

Pour nous, c'est une fête de voir repartir ces vaches. Elles nous ont donné tant de travail durant l'été ! Les nôtres, ne comprenant pas qu'on les laisse ici, s'impatientent et se mettent à meugler. Le soir, en champ, il faut faire très attention qu'elles ne s'échappent pas.

Avant de goûter, Papa enlève les cordes aux emplacements vides : autant de moins à faire demain. Puis il change les carrons de nos vaches. À Oseille, il remet son bagne de reine, avec sa courroie ornée d'étoiles et d'écussons. Il les lui avait enlevés dès notre arrivée aux Combettes : en effet, si beaux soient-ils, ils pèsent tellement lourd qu'avec la chaleur, les mouches, la transpiration, ils auraient fini par entamer la peau de son cou, provoquant des plaies qui ont beaucoup de mal à cicatriser. Donc, pendant l'été, il vaut mieux que les vaches aient des carrons plus légers. Mais pour la démontagnure, toutes sont parées de nos plus belles cloches.

Papa est très fier de ses vaches : elles sont magnifiques. Et elles constituent notre richesse : elles assurent notre subsistance. Aussi est-il bien normal qu'il les aime et qu'il en ait tant de soin. Depuis quelques jours déjà, il a rasé les poils superflus de leur queue, ne laissant qu'un petit pompon au bout. Il les étrille régulièrement afin qu'elles restent bien propres. Demain il les brossera encore une fois avant de les sortir, et quand nous redescendrons, elles arboreront un poil impeccablement lustré et brillant.

Ah ! Quel retour triomphal ce sera ! Papa en sourit de plaisir à l'avance. Après l'alpage, c'est sa fierté de montagnard que de ramener au bercail ses enfants et ses bêtes resplendissants de santé. Il y voit l'image d'une vie accomplie. Car il ne demande pas grand-chose au Bon Dieu : l'amour dans notre famille, la fidélité à notre foi, la santé pour tous, le pain quotidien. Le reste, le superflu..., eh bien ! c'est superflu justement !

Le soir, une fois tous à la maison, comment pourrions-nous contrôler notre excitation : c'est notre dernière nuit à l'alpage (jusqu'à l'année prochaine, s'entend !). Nous contemplons une dernière fois le ciel tout scintillant d'étoiles, comme si, dans la vallée, il ne devait plus être le même.

Nous nous couchons... Mais, malgré notre fatigue, nous n'arrivons pas à trouver le sommeil. Nous nous tournons et retournons longtemps avant de sombrer, enfin vaincus, dans une nuit peuplée de rêves...

*
**

Quel petit matin spécial ! Vite, il faut se lever. Mais nous sommes tout bizarres – de n'avoir pas assez dormi ? de partir ? Ce n'est pas le moment d'analyser nos sentiments. Il reste encore tant de choses à faire.

Papa et Édith ont déjà bu le café du thermos et sont à l'écurie pour traire. Huguette allume le feu et distribue les tâches :

– Solange, Jeannine, Michelle, vous défaites les lits. Vous secouez bien fort les couvertures et vous les étendez dehors, qu'elles prennent l'air avant d'être pliées et rangées.

Comme l'écrémeuse a été lavée, séchée, huilée, rangée dès hier soir (ainsi que la baratte), ce matin, elle n'écrème pas le lait. Elle l'ajoute « entier » dans le chaudron à celui d'hier soir. Cela donne la dernière tomme de l'été, qui est descendue dans le moule. C'est sûrement la meilleure de l'année.

Nous nous occupons de tous les lits, les nôtres et aussi ceux de Papa et des garçons. Nous sortons toutes les couvertures et les secouons énergiquement. Quelques brins de paille s'en échappent, et un peu de poussière. Quand nous les suspendons sur le fil, le soleil ne s'est pas encore montré, mais il ne va pas tarder. Les draps, nous les secouons, puis les plions pour qu'ils tiennent moins de place. Huguette en fait un baluchon pour les transporter.

Personne ne demeure inactif ; même les plus petits s'agitent. Après le déjeuner, on sort vaches et moutons. Ce matin, les moutons aussi ont le droit de pâturer par ici, pas loin de la maison. Papa ne peut pas quitter ses vaches un instant. Dès qu'il fait un pas, elles le suivent. Elles savent que c'est le jour du départ. Elles ne veulent pas être de reste.

Maman arrive avec la jument.

Les deux seuls matelas de la maison, celui de Papa et celui de Marinette, sont roulés et... suspendus au plafond !

– Quelle drôle d'idée !

– Mais c'est à cause des souris ! Si on les laissait sur les lits, elles s'y feraient un nid bien chaud pour l'hiver, et quel désastre ce serait ! Car elles n'épargnent rien, les « bourriques » ! Tout ce qu'on veut protéger de leur gloutonnerie doit être enfermé hermétiquement, ou suspendu (elle ne savent pas encore monter aux parois !) : elles mangent sans distinction aussi bien la nourriture que les couvertures, les matelas, le linge, les journeaux ou les jouets, et même... le savon !, si nous les laissons à leur portée. Mais nous les connaissons et nous prenons nos précautions.

Pour midi, Huguette a pris le temps de nous cuisiner un succulent repas. Ensuite, on fait la vaisselle, on finit de tout mettre à l'abri et en ordre dans les deux chambres. Les chaudrons sont retournés à l'envers pour que, en cas de gouttière malencontreuse, le cuivre ne risque pas d'être endommagé. Plus rien ne traîne dehors. De l'extérieur, Papa cloue les volets sur les fenêtres. D'un seul coup, il fait tout nuit dans la maison.

Plus rien à mettre dans le tombereau ? Le chargement est bien ficelé ? Pas de risque qu'il s'éparpille avec les secousses du chemin ? Alors Maman commence à partir, en emmenant Marinette.

Un dernier coup d'œil. On ferme les portes à clef les unes après les autres. Puis, c'est le moment, toujours très émouvant, du départ.

Papa prend la tête du troupeau.

– Allez, viens, Oseille, viens...

Oseille ne se fait pas prier et les vaches la suivent. Elles n'attendaient que ce signal. Tilou court dans tous les sens pour les tenir rassemblées. Huguette, Bernard, Chantal se mettent derrière. Édith, Solange, Jeannine et moi leur emboîtons le pas avec les moutons. C'est la démontagnure.

Nous nous retournons pour dire un dernier au revoir à la maison. Elle est toute nimbée de soleil, mais, mon Dieu, privée de vie, qu'elle a l'air triste, avec ses volets fermés ! On dirait qu'elle ne veut pas nous voir partir. Sans doute lui prêtons-nous nos propres sentiments, car elle, je ne sais pas si elle est capable de pensées ? Mais pourquoi pas ? Elle a si bien veillé sur nous !

Et voilà fait le premier pas vers la vallée.

Aux Plancerts, nous saluons M. Jean. Il est encore bien plus triste que la maison, et il ne peut retenir ses larmes. Papa et lui se serrent la main, très fort et très longtemps.

– À bientôt, Jean...

– À bientôt, Maurice...

– Au revoir, M. Jean...

– Au revoir, les enfants...

Il s'efforce de nous sourire, tandis qu'il nous serre, à nous aussi, une dernière fois la main. Dans ce simple geste passe toute notre profonde amitié réciproque.

Mais les bêtes s'impatientent. Elles ne comprennent rien aux sentiments. Alors, nous repartons.

Pendant toute la descente, nous avons les oreilles remplies de joyeux carillons.

Lorsque nous arrivons et traversons la ville, tout le monde nous regarde et nous salue au passage. Nous avons fort à faire pour surveiller les troupeaux : il y a du monde, il y a des voitures. Et nous qui venons de la montagne – bêtes et gens –, nous ne sommes pas habitués à un tel tintamarre ni à une telle agitation. Les vaches s'affolent un peu, les moutons auraient bien envie de s'égailler... Mais nous veillons ! Et nous passons sans incident.

Bientôt, nous sommes à Beaulieu. Oh ! Comme la nature est généreuse et souriante, ici ! Il y a encore des fleurs partout. Les champs sont couverts d'une belle et bonne herbe verte. (Aux Combettes, le sol était devenu chauve...) Tous les arbres du verger – pommiers, poiriers, pruniers – sont si chargés de fruits que leurs branches ploient. Partout de bonnes odeurs qui réjouissent. Des abeilles butinent encore de-ci de-là, se gorgeant du nectar des fleurs et du jus des fruits. De hautes tiges de plantain ont poussé devant la remise, et... quel panorama ! Nous l'avions presque oublié ! Mais quelle splendeur ! L'aiguille de Bionnassay et les dômes de Miage scintillent, magnifiques et immaculés, dans les rayons du soleil couchant ! Ah ! Beaulieu ! il est si doux à prononcer, ton nom, et si beau, ton cadre de paradis terrestre !

Mais gardons-nous de relâcher notre surveillance ! Toute médaille a son revers. Les fruits alourdissent les arbres comme une promesse ? Mais il y en a aussi par terre ! Et les vaches, gourmandes, se mettent à croquer les pommes au passage. Or il ne faut pas qu'elles en avalent « tout rond », car elles risqueraient de s'étrangler.

Très vite, l'écurie étant prête à les recevoir, nous les rentrons afin qu'elles se reposent un moment. Elles ressortiront un peu plus tard pour leur repas du soir. Nous faisons de même avec les moutons.

Enfin libérés, nous entrons dans la maison, sur la pointe des pieds, émus, presque étrangers. Nous reprenons contact avec une maison normale ! Notre maison !

Comme ça sent bon, ici ! Plus d'odeur de fumier ou de lait caillé, mais celle de la confiture de pruneaux faite d'hier. La cuisine nous semble toute petite avec son plafond. Dans nos chambres, nous reprenons possession de nos affaires personnelles. Un bon goûter nous attend. Le café au lait fume, déjà servi dans nos bols. Nous redécouvrons tout ! Tout nous semble neuf et nouveau.

Le soir venu, quand le travail est fini, que les bêtes sont rentrées, que le souper est avalé, notre famille, enfin au complet, se rassemble pour faire la prière. Puis nous embrassons *nos parents* (ils sont près de nous tous les deux maintenant), avant de rejoindre nos chambres. Lorsque nous nous couchons, nous sommes à nouveau émerveillés : quelle douceur ! Plus de planche dure ni de paille qui pique, mais un sommier moelleux avec un vrai matelas. Quel confort ! Quel bien-être !

Juste le temps de sourire aux charmes de Beaulieu retrouvé, à notre famille à nouveau réunie, et nous cédons au sommeil dans un vertige délicieux : heureux.

ÉPILOGUE

Dans ma Savoie, pays de rêve
Près du mont Blanc étincelant
Je suis chez moi, sur l'Alpe altière,
Car j'y suis né : petit berger.

Comme les années ont filé ! Où es-tu, temps béni de mon enfance ? À la fois si loin... et si près ! Temps passé..., mais si présent que chaque détail reste accroché au plus vif de ma mémoire.

Temps révolu ? Quel dommage ! Mes enfants ne le connaîtront pas... Ils auront d'autres souvenirs.

Mais c'est pour eux que j'ai réveillé les années de ma jeunesse, pour qu'ils sachent que la vie est belle quand ruissellent à flots non pas l'argent – surtout pas l'argent –, mais la foi et l'amour.

Pour mon mari, afin qu'il me connaisse mieux. Ne dit-on pas que plus on connaît un être cher, plus on l'aime ? Et comme le temps de l'enfance modèle toute la vie...

Pour mes parents, que je voudrais remercier encore de la vie précieuse qu'ils nous ont donnée, de leur amour vigilant, de la foi qu'ils nous ont transmise, et de nous avoir enseigné ce mystère de l'amour : plus on le partage, plus on en possède soi-même.

Pour mes frères et sœurs, qui raconteraient sans doute notre enfance avec des mots différents. Heureux ? Pas heureux ? Il est vrai que s'il y eut beaucoup de joies, les difficultés ont abondé aussi, parfois. Mais avec le recul... Avec ces images du monde aujourd'hui déchiré par la guerre, la famine, la misère... Je laisse à chacun le choix de sa réponse.

Pour vous qui me lisez : sachez que le bonheur existe. Mais il faut le chercher. Il se cache si bien parfois sous les choses les plus simples. Ne nous croyons pas les jouets de la fatalité : être heureux s'espère, se désire, se mérite.

Que vous dire encore de l'alpage ? Il existe toujours. Nous y allons « en vacances ». Ce sont les vaches à M. Arthur qui en mangent l'herbe. Pour nous, c'est fini... Mais souvent, en plein hiver ou lorsque le temps me dure, je ferme les yeux, je le veux très fort... Et tout me revient : j'ai à nouveau quinze ans, je cours, libre, dans les grands espaces, je ris avec le soleil et le vent, je pleure de bonheur, je rêve... Je rêve, oui, mais ce rêve était et demeure réalité et vérité.

La vie est brève ici-bas
Un jour il faudra partir plus haut.
Oh ! Seigneur, pour récompense,
Si je vais en Paradis :
Je ne vois rien de plus beau (bis)
Qu'un autre petit chalet « là-haut ».

TABLE

1955

1956

1957

1958

Chez le même éditeur
Extrait du catalogue et des collections

Les Savoisiennes

Histoire exemplaire du lycée Vaugelas de Chambéry (Johannès Pallière)
J'appartiens au silence - *Maurienne vallée rebelle et vallée martyre* (Rosine Perrier)
Le Bout du monde - *Six mois dans les neiges de Haute-Maurienne* (Madeleine Triandafil)
A noi Savoia - *Histoire de l'occupation italienne en Savoie* (Christian Villermet)
Chronique de la Haute-Savoie pendant la seconde guerre mondiale (Michel Germain) :
- ***La nuit sera longue**** - *De la « drôle de guerre » au temps de la « zone libre »*
- ***Les Maquis de l'espoir***** - *Sous l'occupation italienne*
- ***Le Sang de la barbarie****** - *Sous l'occupation allemande*
- ***Le Prix de la liberté******* - *Des Glières à la Libération*

Les Glières - mars 1944 - *Une grande et simple histoire* (Michel Germain)
Histoire de la Milice - *Guerre civile en Haute-Savoie* (Michel Germain)
Mémorial de la déportation (Michel Germain)
Histoire de Savoie - *préface d'Eugène Sue* (Claude Genoux)
Histoire de la Savoie (Henri Ménabréa)
Annecy, les poètes, le lac (Georgette Chevallier, Alphonse Puthod)
Les Mémoires d'Adélaïde Victoire de Bellegarde (André Gilbertas)
Au temps des alpages (Roger Frison-Roche, Philippe Mazure)
Henri Jacquier, une figure locale - *Des Thermes d'Aix à la vie publique* (Jean-François Connille)
Le Tour de Savoie par deux enfants (Marie-Thérèse Hermann)
La Savoie traditionnelle (Marie-Thérèse Hermann)
Les Enfants du malheur (Marie-Thérèse Hermann)
La cuisine paysanne de Savoie (Marie-Thérèse Hermann)
La Savoie mystérieuse et légendaire (Marie-Thérèse Hermann)
Mémoires d'une enfant de la Savoie (Marie-Thérèse Hermann)
Architecture et vie traditionnelle en Savoie (Marie-Thérèse Hermann, François Isler)
Maurienne, vallée de l'aluminium (Daniel Déquier)
De bouche à oreille - *Contes et récits tirés de la tradition orale* (Daniel Déquier)
Costumes de Savoie* - Maurienne (Daniel Déquier, François Isler)
Costumes de Savoie** - Tarentaise, Beaufortain, Val d'Arly (Daniel Déquier, François Isler)
La Reine du soufre - *Histoire de Challes-les-Eaux* (André Dumollard)
La Mémoire du vieux village - *Bessans* (Eugénie Goldstern)
Les Gamins du Rhône - *Une enfance en Savoie, jadis* (André Béard)
L'architecture traditionnelle en Savoie (Henri Raulin)
Albert Bernard - *Vie et mort d'un Savoyard tombé pour l'Afrique* (Jean Comte)
Bessans - Village d'Art (Suzanne Bourgeois)
Souvenirs de guerre (Roger Racloz)
Histoire de la Compagnie des guides de Chamonix (Daniel Chaubet)
Sur les Chemins du Baroque* - En Beaufortain et Val d'Arly (photographies de Denis Vidalie et Béatrice Cafieri, préface de Michel Barnier)
Sur les Chemins du Baroque** - En Tarentaise (photographies de Denis Vidalie et Louis Hugonnard, préface de Michel Barnier)
Sur les Chemins du Baroque - En Maurienne***
L'Inconnu d'Uccello (André Gilbertas)
Les mots du Haut-Chablais (Maurice Richard)
Les Catholiques savoyards (Christian Sorrel)
La Chronique de Savoie - *traduite par Daniel Chaubet* (Jean d'Orville, dit Cabaret)
Les Clochers à bulbe (Pierre Boulais, François Isler)
Mont-Blanc, espace de lumière (André Fournier, Pierre Préau)
En Savoie - Le pinceau et la plume (Marif Bachasson, Maurice Vuillermet)
Le Petiou (Jean-Gaspard Perrier)
Histoire de Courchevel Saint-Bon en Tarentaise (Marcel Charvin)
Une saison de vent - *Contes et légendes, poèmes et récits de Maurienne et d'ailleurs* (Rosine Perrier)
Histoire du Châtelard-en-Bauges (Henri Bouvier)
Pays, paysages, paysans (Christian Combaz, Philippe Mazure)
Le Conseil général de la Haute-Savoie - 137 ans, 330 élus (Pierre Soudan)
Camille Costa de Beauregard (Robert Fritsch)
Histoire de l'annexion de la Savoie à la France (Paul Guichonnet)
La Royale Maison de Savoie - Roman historique d'Alexandre Dumas :
- ***Emmanuel-Philibert - Le Page du Duc de Savoie****
- ***Emmanuel-Philibert - Léone, Léona*****
- ***Charles-Emmanuel III, Mémoires de la Comtesse de Verrue, surnommée la Dame de Volupté******
- ***De Victor-Amédée III à Charles-Albert*******

Savoie, une montagne de légendes (Lucien Chavoutier)
Savoie baroque (ouvrage collectif, sous la direction de Dominique Peyre)
Arthur de la Dent d'Oche (Paul Guichonnet, Daniel Dunet)

Jean-Vincent Verdonnet - *Profil d'homme, regard de poète* (Marie-Claire Enevoldsen-Bussat)
Alpages, terres de l'été - *Des montagnards d'antan... aux alpagistes d'aujourd'hui* (Charles Gardelle)
Les Balcons sur la Vanoise (Pierre Souhaité)
Symphonies pastorales dans les montagnes de Savoie (François Isler)
Aquarelles en Haute-Savoie (Nicole Tercinet)
Conflans (Françoise et Gilbert Maistre)
Saints et Saintes de Savoie (Jean Prieur et Hyacinthe Vulliez)

Bibliophilie Savoisienne

Savoie - l'œuvre peint (André-Charles Coppier) :
- ***De Tarentaise en Maurienne****
- ***Les portraits du Mont-Blanc*****
- ***Au lac d'Annecy******

La Savoie (Joanny Drevet) :
- ***Au seuil des Alpes de Savoie****
- ***En Maurienne*****
- ***En Savoie - Annecy, Chambéry et leurs environs******

Les Chants de la Terre

J'ai plus de souvenirs que si j'avais mille ans (José Reymond)
Musette, la fille de la vipère (Venance Gacon)
Les Cousins* - *Les Savoyards de la Pampa* (Claude Chatelain)
Les Savoyards de la Pampa** (Claude Chatelain)
Les Cousins*** - *Le Temps des retrouvailles* (Claude Chatelain)
Quand on écoutait le soleil - *Une enfance en Savoie dans l'entre-deux-guerres* (Alexis Vibert-Guigue)
Les Mémoires d'André Gallice, poète-paysan savoyard :
- ***Le loup n'a jamais mangé l'hiver****
- ***Le Borboyon du grand roc*****
- ***Souvenirs d'un paysan de Savoie******
- ***Si mon village m'était conté*******

Péronne 1800 (Josette Buzaré)
Graine de paysan (Lucienne Zinant)
Amélia ou la Misère dorée (Régine Boisier)
Maria ou la Misère noire (Régine Boisier)
Laura ou le Plein Été (Régine Boisier)
Le Papillon d'argile (Jean G. Adam)
Deux âmes sœurs (Didier Lachavanne)
« Le Français » au pays des Savoyards (Régine Boisier)
La Dame du Lac-Bénit - *Ballade d'une dame des Temps jadis* (Régine Boisier)
Contes de la Lombarde - *Légendes au Pays du Diable* (Damien Tracqui)
Le Lac de l'aube (Marc Dannenmuller)
La lune est à couvert des loups (Paul Vincent)
Angélique 1900 (Renée Martin-Pillet)
Les Héritiers de la bise (Anne-Marie Desplat-Duc)
La Maison morte - *postface de Francis Tracq* (Henry Bordeaux)
Apolline ou les Valses du destin (Colette Gérôme)
La Montagne apprivoisée (Paul Gaillardot)
Le Fléau de Dieu - *Le mythe des Sarrasins en Savoie* (Damien Tracqui)
La Veillée chez Menthine (Lucienne Zinant)
Au pays de la Margot (Lucienne Zinant)
Un rossignol dans la neige (Francis Buffille)
Médecin des neiges (docteur Charles Socquet)
Trente-Planes - *La solitude d'une institutrice de haute montagne* (Juliette Airel)
L'Or perdu de la Séveraisse (Michel Floro et Alain Rota)
Ce bus dessert Chantemerle... (Jean-Pierre Marduel)
Saint-Boniface et ses Juifs (Ladislas et Nathalie Gara)

Les Chroniques de l'Autrefois

La Tarentaise d'antan (Jean-Luc Penna)
Aix-les-Bains à la Belle Époque (Johannès Pallière)
Chamonix autrefois - Le Mont-Blanc et sa vallée (Agnès Ducroz, Françoise Loux et Antoine Pocachard)
Le Chablais d'autrefois (Marie-Thérèse Hermann)
La Maurienne d'autrefois (Daniel Déquier)
La Drôme des collines autrefois (Françoise et Charles Gardelle)
Le Faucigny d'autrefois (Michel Germain et Gilbert Jond)
La Drôme du sud autrefois (Marie-Georges Lamarque)
La Combe de Savoie autrefois (Maurice Messiez)
Orelle autrefois (Jean-Pierre Deléglise)
Scionzier 1900 (Gérald Richard)

Ardèche 1900 (Michel Carlat)
Les Bornes/Aravis autrefois (Michel Germain et Gilbert Jond)
Annecy et son lac autrefois (Michel Germain et Gilbert Jond)
Tignes autrefois (Brigitte et Évelyne Alzieu)

Savoie Vivante

Ensemble dans le Beaufortain (collectif)
Petite histoire du Val Gelon et de La Rochette (Juliette et Adrien Dieufils)
L'épopée de Courchevel - 1946-1996 (Gildas Leprêtre)
Un col, des hommes... Le Petit-Saint-Bernard (Gisèle Gaide, Odile Mérendet, Jean-Luc Penna)
Arêches-Beaufort - Un siècle de tourisme. 50 ans de remontées mécaniques (François Rieu)
Le Pays des Hurtières - Saint-Georges, Saint-Alban, Saint-Pierre (sous la direction de André Brunet et Jean Prieur)
Notre-Dame de la Gorge - *Un sanctuaire au pays du Mont-Blanc* (Jean-Paul Gay)
Saint-Rémy-de-Maurienne - Village aux mille sources (René Blanc et Joseph Rochette)
La Saga des Saisies (Pascal Meunier)
Petite Histoire de la Plagne en dix stations (Dominique Droin)
Les nouveaux paysans (Marie-Claire Gandet, Jean Reverdy)
Petite et grande histoire de Mercury (Jean Brunier)
Saint-Jean-d'Arvey en Savoie (Nicole Vaget-Grangeat)

Panoramas

Panoramas du Mont-Blanc (André Fournier)
Panoramas de la Vanoise et de ses environs (Pascal Urard)
Panoramas du lac d'Annecy (Denis Rigault)

Champ régional

Histoire du Mont-Blanc et de la vallée de Chamonix - *préface de Paul Guichonnet* (Stéphen d'Arves)
Les environs de Chambéry - *préface de Gabriel-André Pérouse* (Gabriel Pérouse)
Dictionnaire étymologique des noms de lieu de la Savoie - *préface de J. Désormeaux* (Adolphe Gros)
Au royaume du Mont-Blanc - *préface de Paul Guichonnet* (Paul Payot)
Le Beaufortain : une belle vallée de Savoie - *préface de Hélène Viallet* (Joseph Garin)
Histoire de la collégiale de Sallanches - *préface de Paul Guichonnet* (François Coutin)
Mont-Blanc (Charles Durier)

Hier et Aujourd'hui

La Haute-Savoie, une terre, des hommes (sous la direction de Paul Guichonnet)
Chambéry-Savoie (sous la direction de Pierre Préau)
Savoie : l'esprit des lieux - Histoire de la Savoie depuis 1945 (Pierre Préau)

Pour Mémoire

Chambéry, regards sur la ville (collectif)
Haute-Maurienne - L'album : 1900-1940 (Françoise Cimaz)
En avant la musique - Histoire des fanfares et harmonies de Maurienne (Daniel Déquier)
L'épopée Vallot au Mont-Blanc - Cent ans déjà (Robert Vivian)